Pasteles

pasta quebrada, pastel esponja, pasteles, ganache

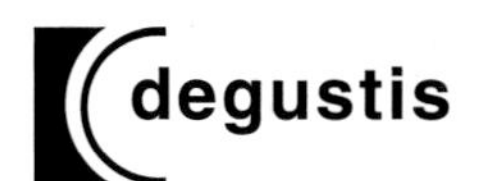

Importado y publicado en México en 2011 por / Imported and published in Mexico in 2011 by:

Advanced Marketing, S. de R.L. de C.V.

Calz. San Fco. Cuautlalpan no. 102 Bodega D,

Col. San Fco. Cuautlalpan, Naucalpan,

Edo. de México, C.P. 53569

Título Original / Original Title: Pasteles / Torte

Traducción/Translation: Esmeralda Brinn, Laura Cordera y Concepción O. de Jourdain.

Corrección de Estilo/ Proofreading: Cristina Tinoco de Oléa

Via G. Mazzini, 6 -43121 Parma; Via P. Gaggia, 1/A – 20139 Milano

ISBN: 978-607-404-442-3

11 10 9 8 7 6 5 4 3 2 1

El Mundo de Chocolate

PASTELES

pasta quebrada, pastel esponja, pasteles, ganache

He aprendido a conocer los dos remedios
contra el dolor, la tristeza, el mal humor
y heridas similares del corazón humano:
éstas son el chocolate y el tiempo.

Tommaso Landolfi (1908 – 1979)
escritor, traductor y amante de los juegos de azar

Contenido

■ Dulces tentaciones 6

Utensilios para el chocolate 10

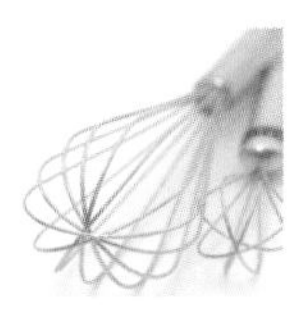

■ Lecciones de chocolate 12

■ Glosario 48

■ Recetas 50

Desayuno 52

Merienda 74

Grandes ocasiones 94

■ Índice 118

Dulces Tentaciones

Considerado en muchos proverbios como pecado de gula, el chocolate es el **abrazo alimenticio por excelencia**. Protagonista de numerosas preparaciones y, desde hace siglos, **ingrediente fundamental de la pastelería europea**. Amado por los más grandes chefs por su gran ductilidad, el chocolate **amerita ser conocido con más profundidad** también por aquéllos que por pasión consolidada o por primera vez se dediquen a la preparación de dulces caseros.

El mundo de la gula

Precisamente para responder a esta exigencia se ha creado la colección El mundo del chocolate: en tres volúmenes enteramente ilustrados se presenta en modo claro y exhaustivo una revisión de todo el mundo del chocolate, revelando **técnicas y secretos** para una elaboración perfecta. Respetando la clásica división por tipología (pasteles, pastelería miniatura y postres), se quiere ofrecer al lector una moderna y detallada **guía para la preparación de bases, con ilustraciones paso a paso** en la primera sección de cada libro, una rica gama de **consejos** y numerosas **recetas** apropiadas para todos los gustos.

Lo importante cuando se decide utilizar este ingrediente es no detenerse: el chocolate, de hecho, **es difícil de trabajar** hasta para los más expertos. Requiere **cuidado, conocimiento y mucha experiencia**. Pero esto no debe desalentarlo: afrontar este hecho gradualmente es la manera justa para llegar a obtener emocionantes resultados. Además, es bueno recordar de inmediato y tener siempre presente que diversas preparaciones y procedimientos se basan en verdaderas y precisas **reacciones químicas** y dependen de **la temperatura, tiempos de cocción y reposo**. Es por lo tanto fundamental moverse a través de los primeros pasos en esta deliciosa materia ¡con escrúpulo casi científico!

Los pasteles: reyes de la pastelería hecha en casa

Para agilizar y volver más placentero este camino se ha decidido explorar en el primer **volumen** un sector particularmente tradicional y amado en la pastelería "casera": ¿quién, de hecho, no ha preparado alguna vez en casa un pastel, una tarta o una rosca de chocolate?

Las recetas presentadas, **organizadas según las ocasiones en que se consumen** (desayuno, merienda, grandes ocasiones), son de lo más atractivas y golosas que se puede encontrar en este amplio sector: ¡el chocolate le da un toque especial a todo aquello que lo contiene! **Pasteles suaves** y ligeros o **fudge**, **tartas** rústicas enriquecidas con cremas de cacao y avellanas, **pasteles marmoleados** o cubiertos con deliciosos glaseados: las opciones son amplias y atractivas.

Nada mejor para iniciar el día con un empujón de energía o para recargar las baterías: entre las características principales y más preciadas del chocolate se encuentra en efecto su capacidad de fungir como **estimulante natural**. El secreto de tal propiedad y del éxito atemporal de este alimento se encierra en su composición: de las semillas de la planta de cacao hereda de hecho la **teobromina**, sustancia que debe su nombre al mismo árbol tropical (Theobroma Cacao) y que es capaz de actuar (naturalmente y de manera suave) sobre el sistema nervioso. Junto con la presencia de pequeñas cantidades de **cafeína**, nos regala una sensación placentera de bienestar y recarga energética, explicando por qué a la planta del cacao le fue atribuido un nombre tan significativo: en griego Theobroma quiere decir en efecto ¡"alimento de los dioses"!

Moderna ambrosía al alcance de todos, el chocolate también vuelve irresistibles los pasteles propuestos gracias a su **capacidad de acompañar a los ingredientes más diversos**, desde la fruta fresca hasta la seca, de la crema a la confitura, de las galletas hasta mezclas básicas de diversos géneros. Precisamente a estas preparaciones se dedica una sección inicial: secretos y trucos para bases perfectas son de hecho instrumentos indispensables para preparar cualquier dulce, dada la gran difusión de mantecadas, hojaldres y pastel esponja.

El secreto de la decoración

La fantasía y la inspiración de los maestros pasteleros se han enriquecido con el tiempo con **ingredientes, variantes y detalles ornamentales** hasta en los pasteles más tradicionales y simples, dándole vida a una pastelería que podremos sin duda definir "de grandes ocasiones". **La atención y el cuidado de la presentación** retoman hoy en día un papel fundamental para quien se propone preparar un postre en casa: complacer el deseo de **asombrar a los propios huéspedes** es una manera de **darle rienda suelta a la fantasía** y obtener la máxima satisfacción de una práctica como aquélla de la cocina, que hoy en día se ha descuidado por falta de tiempo.

Es así, entonces, que el chocolate de nuevo se muestra muy útil: el **temperado**, o sea el procedimiento a través del cual es posible obtener un producto terminado liso y brillante, es tal vez la fase que requiere de más atención, pero una vez adquirida la técnica y experiencia, divertirse **creando decoraciones siempre novedosas** será un verdadero placer. Precisamente por la importancia y complejidad de esta técnica, se ha pensado en proponer en cada volumen fichas ilustradas que muestran los tres métodos con los cuáles es posible temperar cada tipo de chocolate.

No hay entonces más pretextos... ¡**cualquiera, con pasión y paciencia, puede comenzar a experimentar** y a disfrutar los resultados de su sabrosísimo trabajo en la cocina!

Un consejo para valorar de lleno todo el sabor del chocolate, ya sea para derretir, con leche o aromatizado: experimente combinándolo con un óptimo café expresso o preparado con moka. El café que se haya elegido deberá ser al mismo tiempo aromático, cremoso y, ¡por supuesto, hirviendo!

Utensilios para el chocolate

1 *Batidor Globo*
Insustituible en la repostería para mezclar y revolver los diversos ingredientes de las preparaciones. Son particularmente útiles para montar yemas, claras o crema fresca.

1

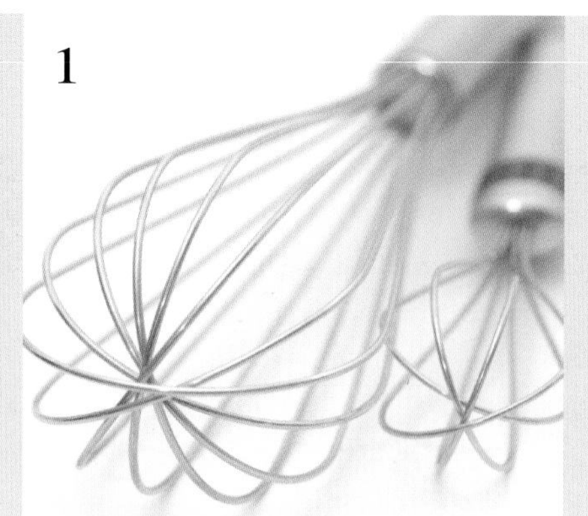

2 *Cuchillos*
Para cortar el chocolate con facilidad y reducirlo a trozos, para hacer más rápida la preparación de cremas o para temperarlo.

2

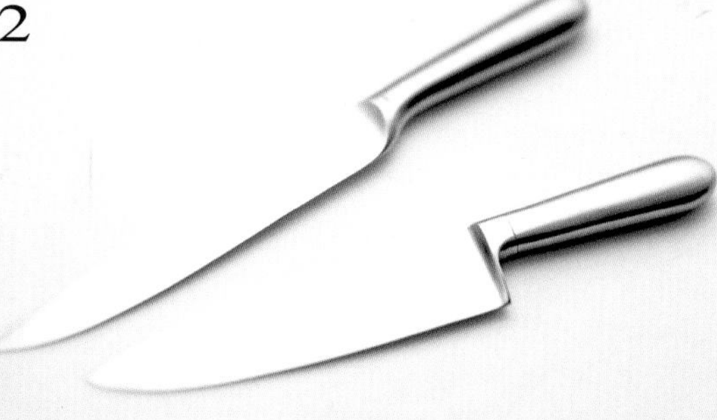

3

3 *Pala*
Indispensable para despegar de los bordes del molde el pastel una vez cocido y para introducirse entre la mezcla y el contenedor para poder voltear el postre.

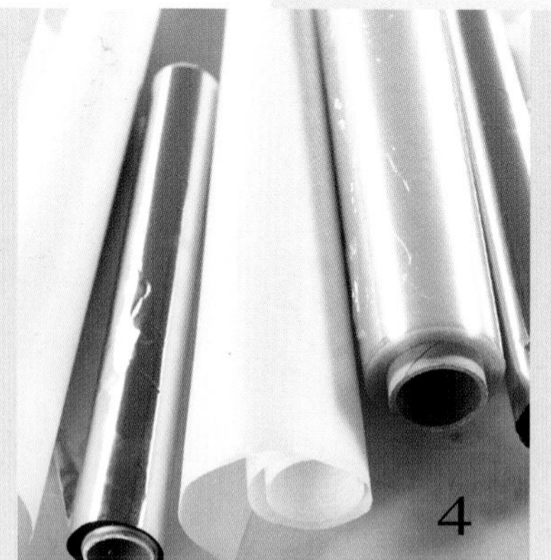

4

4 *Papeles y recubrimiento para alimentos*
El aluminio y el plástico adherente son ideales para conservar en las mejores condiciones las cremas, masas y pasteles ya cortados antes de servirlos; el papel encerado para hornear es indispensable para hornear biscotti, pasteles y tartaletas que se adhieren al molde.

5 *Moldes de plástico*

A pesar de su apariencia, son de gran utilidad. Apoye sobre una base sólida al transportarlos de la mesa de trabajo al horno para no derramar la masa.

8 *Rallador*

Indispensable para pulverizar la cobertura de chocolate que se habrá de utilizar como decoración o para derretir.

6 *Cuchillo para pasteles*

Para servir el pastel de la mejor manera, utilice un cuchillo que reúna estilo, calidad y utilidad.

7 *Espátula de silicón o miserable*

Es una espátula de silicón muy útil para recoger chocolate derretido o prácticamente cualquier otra mezcla de las paredes de los tazones en que se haya realizado la preparación.

9 *Rodillo*

Un utensilio básico, necesario para dar el grosor exacto a las bases de pasta y para la elaboración de la pasta de hojaldre.

Lecciones de chocolate

Primer paso para la preparación de pasteles irresistibles: aprender a dominar la técnica fundamental para la elaboración de bases, rellenos y decoraciones de chocolate absolutamente perfectas. ¡Una lección minuciosa y clara a seguirse con cuidado, pasión y perseverancia!

Harina de almendras

- 50 g de azúcar glass
- 50 g de almendras sin piel

1 Coloque el azúcar glass y las almendras en un procesador de alimentos, un molino o una trituradora.

2 Muela las almendras con el azúcar hasta obtener una mezcla de consistencia similar a la harina.

3-4 Pase la mezcla obtenida (tpt) a un tazón y utilice conforme sea necesario como ingrediente base de sus postres. Puede conservar la harina de almendras en un contenedor de vidrio con cierre hermético.

1

Secretos del chocolate

■ *La abreviación tpt (tanto por tanto) se refiere, en pastelería, a una mezcla de azúcar glass y harina de almendras muy utilizada para la preparación de varias bases. Recuerde que, como indican las siglas, la cantidad de azúcar glass y almendras sin piel, cualquiera que sea la cantidad de tpt solicitada en la receta del postre seleccionado, deben ser siempre equivalentes.*

La harina de almendras se utiliza en pastelería para aromatizar bases de pasta de hojaldre o de pastel esponja.

3

4

Masa para pasta quebrada

450 g de harina blanca "00" ■
o de primera calidad
100 g de tpt ■
(50 g de azúcar glass
+ 50 g de almendras sin piel)
325 g de mantequilla fría, ■
cortada en cubos pequeños
200 g de azúcar glass ■
75 g de huevo ■
60 g de claras de huevo ■
sal ■

1-2-3 Usando una batidora eléctrica a velocidad media mezcle la harina, el azúcar, la harina de almendras y la mantequilla hasta obtener una mezcla de aspecto arenoso.

4 Agregue los huevos, las claras y una pizca de sal, mezclando durante 2 ó 3 minutos más.

5-6 Envuelva la masa obtenida con plástico adherente y deje reposar en el refrigerador durante 3 horas.

7 Una vez transcurrido el tiempo de reposo, extienda la masa sobre una superficie de trabajo enharinada con ayuda de un rodillo, hasta obtener un espesor de 1/2 cm. ▸

1

2

Secretos *del* Chocolate

■ *Gracias a la presencia de dos tipos particulares de proteínas presentes en el grano, al revolver enérgicamente la harina con agua se puede obtener el gluten, sustancia espesante esencial para la formación de la llamada malla de gluten, en la elaboración y consistencia final de las masas.*

■ *En la pasta quebrada, la malla de gluten debe ser utilizada solamente para garantizar la consistencia quebradiza de la masa. Por lo tanto, es importante evitar el contacto directo de la harina con los líquidos. Mezcle primero la mantequilla fría y el azúcar, para que las grasas de la mantequilla envuelven las proteínas de la harina y retarden la formación de grumos al contacto con el huevo. Antes de agregar los huevos la masa deberá tener una textura arenosa; posteriormente, deje de trabajar la masa tan pronto los huevos hayan dado la textura compacta a la mezcla. Siguiendo esta secuencia en la combinación de los ingredientes, se obtendrá un mayor control de la masa.*

4

5

6

Para no arriesgar la buena calidad de la masa, no la trabaje directamente con las manos.

8 Coloque la masa en una charola previamente engrasada con mantequilla y harina.

9 Presione la masa a los bordes para que se adhiera al molde y corte el exceso de masa.

10 Para hacer que la pasta no se infle al cocerse, antes de hornearla, coloque otro molde de las mismas dimensiones sobre la primera y posteriormente hornee.

11-12 O, si lo desea, puede extender una hoja de papel aluminio sobre la pasta y depositar sobre ella frijoles u otra leguminosa seca hasta cubrir la superficie de la tarta. Cocine a 170°C (350ºF) entre 12 y 15 minutos, hornee y elimine el papel aluminio y las semillas secas.

7

8

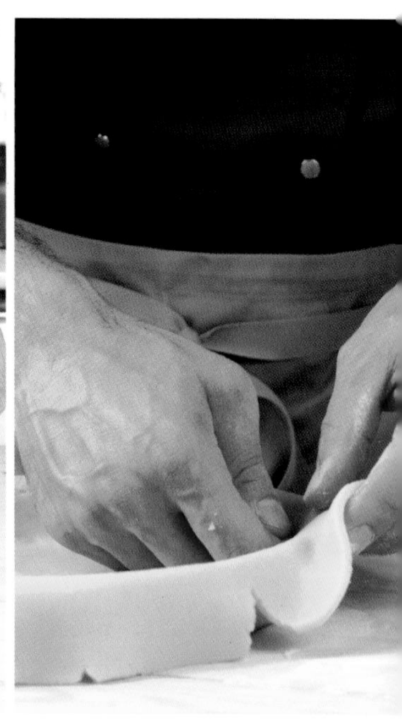

Secretos *del* Chocolate

- *Trabaje la masa solamente en el caso de que se deba "revivir" un sobrante de la masa conservada en refrigeración.*

- *Para lograr una buena masa, utilice siempre harina de textura fina. La masa debe ser, antes que nada, quebradiza, pero no harinosa. Por lo tanto, es importante revolver la masa en el menor tiempo posible.*

- *El tiempo de reposo de la masa es fundamental: sirve para relajar la malla de gluten formada. Es importante que la masa repose en refrigeración: con el frío, las grasas se solidifican y se obtiene una masa más maleable y firme.*

El uso de los recubrimientos de cocina durante la cocción es una buena solución, principalmente para cocer a bajas temperaturas y en hornos de convección.

Ganache para base de pasta quebrada

200 g de crema fresca ■
300 g de chocolate ■
semi amargo, troceado
70 g de crema inglesa ■
40 g de mantequilla, ■
a temperatura ambiente

1-2-3 Caliente la crema hasta el punto de ebullición e integre con el chocolate troceado. Deje derretir el chocolate en la crema sin revolver. Una vez derretido el chocolate, mezcle desde el centro del tazón hasta obtener una emulsión.

4-5-6-7 Agregue la crema inglesa (vea receta en la página 97) y mezcle delicadamente. Agregue la mantequilla y mezcle hasta que se derrita por completo.

8-9 Deposite la ganache obtenida sobre la base de la tarta previamente elaborada.

1

2

■ *Puede obtener un glaseado a partir de los ingredientes que se indican para la ganache agregando a la crema hirviendo 2 hojas de grenetina. De esta manera la mezcla obtenida tendrá mayor consistencia, impidiéndole así que suba excesivamente hacia la superficie de la corteza cubierta.*

■ *O, si lo desea, puede preparar un glaseado con 500 g de crema fresca, las semillas de una vaina de vainilla, 180 g de glucosa (o miel de maíz), 10 g de grenetina sin sabor, 400 g de chocolate semi amargo. Una vez que se obtenga el glaseado, coloque en refrigeración y utilice a una temperatura entre 38 y 45°C (100 y 113°F.*

■ *Cuando agregue la mantequilla a temperatura ambiente a la emulsión de chocolate y crema, es importante revolver con un movimiento lento y constante, para evitar que el ganache se separe.*

4

5

6

Secretos *del* Chocolate

- *Puede elaborar ganache de diferentes sabores sustituyendo el chocolate semi amargo por chocolate de leche, chocolate blanco o aromatizado con chile o canela, por ejemplo.*
- *Con el ganache puede rellenar también tartaletas o barquillos.*
- *Para evitar que el ganache se separe, añada la mantequilla a la mezcla con movimiento circular.*

Para un resultado perfecto es preferible dejar endurecer el ganache fuera del refrigerador, una vez rellena la base de tarta.

7

9

Pastel Esponja

- 500 g de huevos
- 375 g de azúcar
- 75 g de miel de abeja
- 300 g de harina blanca "00" o de primera calidad
- 150 g de fécula de papa

1-2 Rompa los huevos sobre un tazón y bata con ayuda de un batidor globo o en una batidora eléctrica. Cuando estén ligeramente batidos, agregue el azúcar en forma de lluvia y la miel mientras continúe mezclando. Debe obtener una masa suave de aire, huevo y azúcar.

3-4 Cierna la harina junto con la fécula y coloque la mezcla sobre una toalla de papel.

5-6 Cuando los huevos se hayan puesto blancos (su volumen debe triplicarse), añada la harina y la fécula a tres tiempos, revolviendo con ayuda de una espátula. ▶

1

2

Secretos *del* Chocolate

■ *Primero, se revuelven los huevos con el azúcar y la miel (es mejor si se usa miel de acacia), seguidos los almidones (las harinas). La combinación de los almidones forma la estructura del dulce que, de otra manera, fuera del horno, "se bajaría".*

■ *Agregue el azúcar cuando los huevos ya estén batidos para que la mezcla no quede pesada.*

■ *La temperatura ideal que deben tener los huevos para poder incorporar aire durante el trabajo es entre 34 y 36°C (93 y 97°F). En verano pueden trabajarse a temperatura ambiente, en invierno puede calentarlos en microondas para obtener la temperatura anteriormente indicada.*

■ *El uso de un horno de convección garantiza una cocción mejor y más uniforme. Si, en lugar de éste, se utiliza el horno estático, se corre el riesgo de que se cueza el dulce más en la base que en la superficie.*

■ *Puede elaborar el pastel esponja con 500 g de crema inglesa (vea la receta en la página 111) junto con 300 g de chocolate semi amargo fundido en el microondas.*

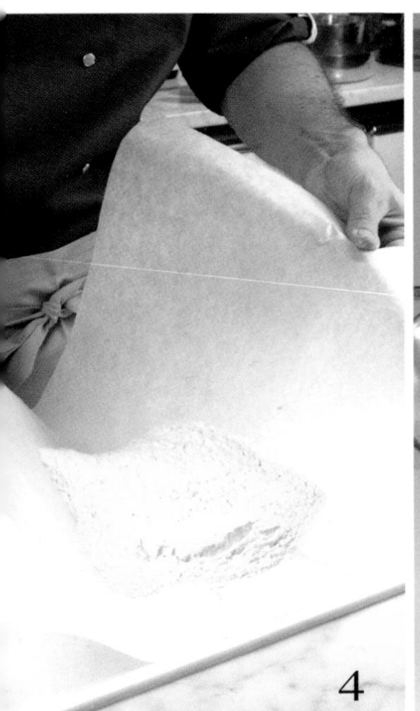
4

5

6

Si utiliza la batidora eléctrica para batir los huevos con azúcar use velocidad media.

7 Unte con mantequilla a temperatura ambiente 2 moldes (uno de 20 cm y otro de 30 cm de diámetro) con ayuda de una brocha para repostería y enharine ligeramente.

8 Vierta la mezcla bien incorporada en los moldes hasta llegar a la mitad y empareje la superficie con ayuda de una espátula.

9-10-11-12 Hornee (si es posible en horno de convección) a 180°C (360°F) alrededor de 20 minutos. Desmolde el pastel golpeando el molde contra una superficie de madera para que la pasta se despegue de los bordes del molde. Corte el pastel horizontalmente a la mitad con ayuda de un cuchillo dentado. Para obtener un corte perfecto, gire el pastel mientras corta, manteniendo el cuchillo apuntando siempre en la misma dirección.

Secretos *del* Chocolate

- *Mientras más delgadas sean las varillas del batidor, incorporarán más aire.*

- *Para saber si el pastel esponja está cocido, basta con insertar un palillo de madera en su centro; si sale seco, está cocido.*

- *Evite abrir el horno durante la cocción. Si lo hiciera, provocaría una baja de presión y, por tanto, un debilitamiento estructural.*

- *Para aromatizar la base, puede sustituir el 10% de la cantidad de harina por tpt.*

Para obtener un pastel esponja aromatizado, agregue a la masa vainilla, canela o ralladura de cítricos.

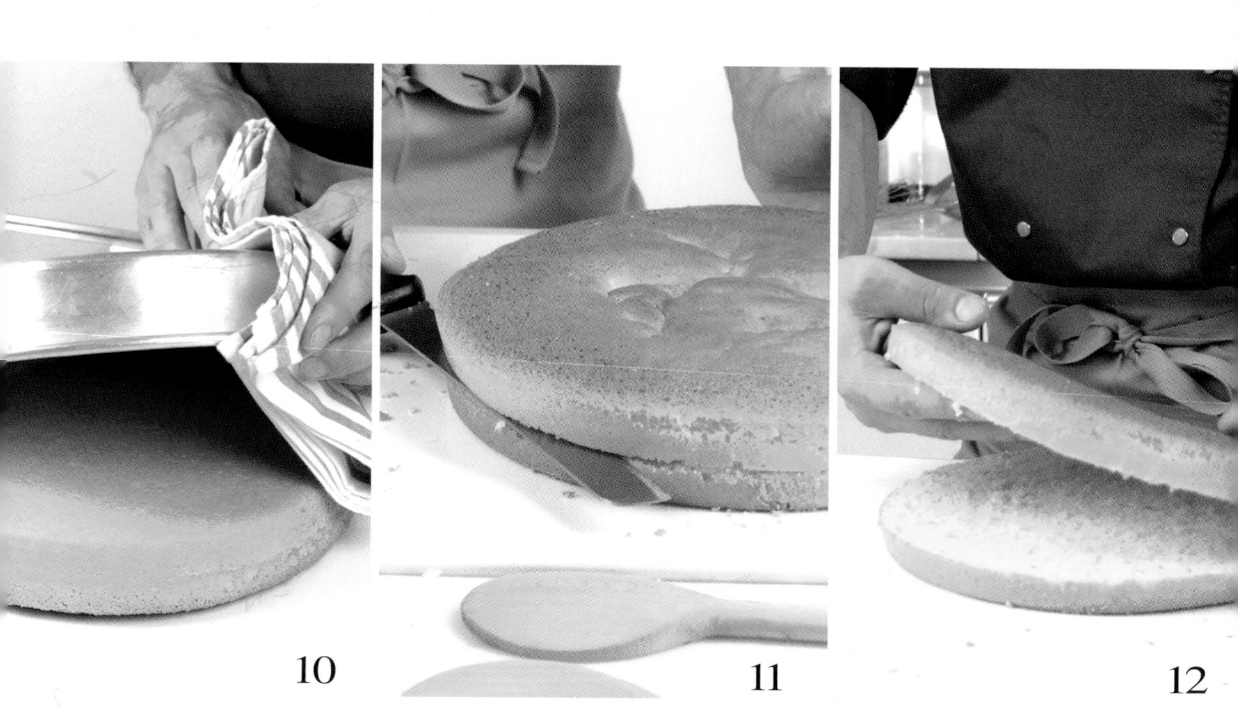

10

11

12

Pasta de hojaldre

- 200 g de harina blanca "00" o de primera calidad
- 100 ml de agua
- 200 g de mantequilla a temperatura ambiente
- sal

1 Forme una pasta con el agua fría, la harina y una pizca de sal; revuelva bien hasta obtener una masa tersa.

2 Extienda la masa sobre una superficie de trabajo ligeramente enharinada, hasta dejarla delgada. Coloque al centro la barra de mantequilla y cierre presionando los bordes de la pasta.

3 Pase el rodillo en una sola dirección sobre el cuadro de pasta obtenido, para formar una sola hoja.

4 Doble la pasta en tres partes, una sobre otra, formando un rectángulo.

1

2

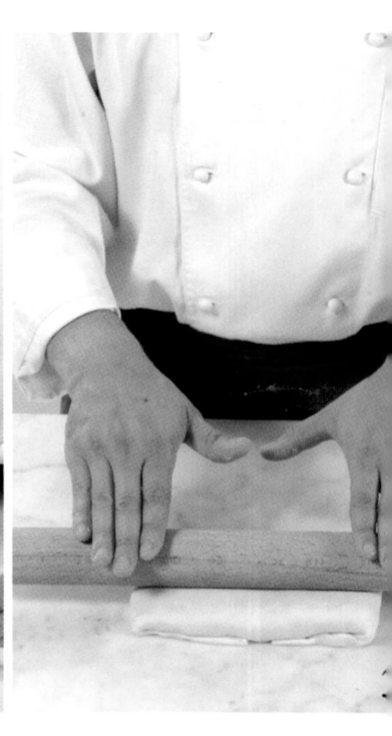

5 Gire 90º el rectángulo obtenido y doble nuevamente para obtener 3 hojas de pasta una sobre otra. Deje reposar en el refrigerador durante 30 minutos.

6 Vuelva a extender la masa sobre una superficie enharinada y repita la operación tres veces más; una vez que termine los "giros", proceda siguiendo la receta, hornee la masa en forma de una hoja delgada, en moldes cubiertos con papel encerado para hornear durante 15 ó 20 minutos entre 200 y 220°C (400 y 430ºF).

Secretos *del* Chocolate

■ *La preparación de la pasta de hojaldre es laboriosa y muy larga. Con el fin de obtener un buen resultado es necesario que, en medio de las capas de pasta y mantequilla haya aire de modo que, durante la cocción, la mezcla se esponje y se hinche, dando a la pasta fragancia y ligereza. Para facilitar su combinación todos los ingredientes deben trabajarse a la misma temperatura.*

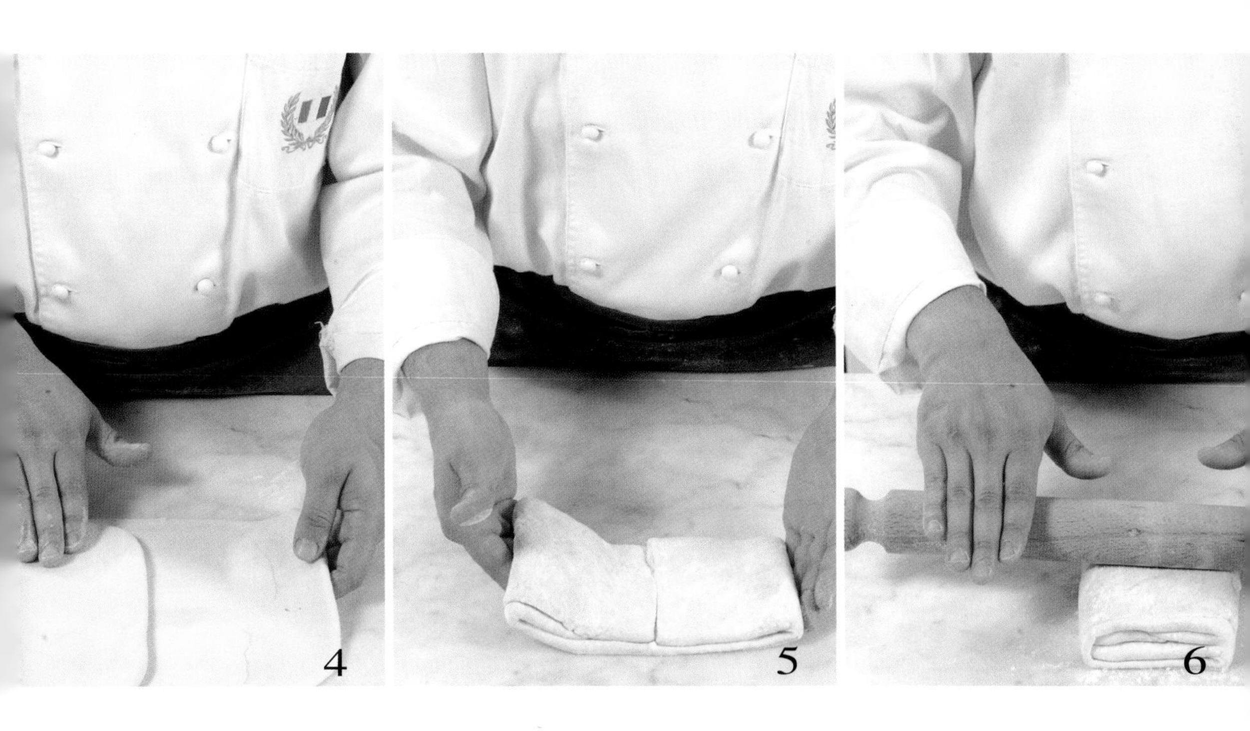

Pastel de cocoa

- 250 g de mantequilla cortada en cubos pequeños, temperatura ambiente
- 250 g de azúcar glass
- 280 g de huevo
- 140 g de fécula de papa, cernida
- 150 g de harina blanca "00" o de primera calidad
- 30 g de cocoa en polvo sin azúcar
- 10 g de polvo para hornear
- 1 vaina de vainilla
- 200 g de uvas pasas
- 200 g de miel de abeja
- ron
- ralladura de 1 limón amarillo sin cera

1 En un tazón mezcle la mantequilla con el azúcar glass.

2-3 Bata a velocidad media-alta con ayuda de una batidora eléctrica, hasta obtener una mezcla espumosa. Añada poco a poco, los huevos y la fécula.

4-5-6 Cierna la harina con la cocoa y el polvo para hornear sobre una hoja de papel encerado. Incorpore la mitad con la mezcla y revuelva a mano. Agregue la otra mitad y mezcle hasta integrar por completo; perfume con las semillas de la vaina de vainilla. ▶

3
4
5
6

Después de haber untado los moldes con mantequilla experimente sustituyendo la harina por azúcar granulada: obtendrá una consistencia más agradable al gusto.

7 Agregue las uvas pasas a la mezcla tras haber integrado por completo todos los ingredientes.

8 Añada la miel, previamente mezclada con el ron y aromatizada con la ralladura de limón.

9 Pase la masa a dos moldes rectangulares previamente untados con mantequilla y enharinados.

10 Cocine en horno de convección a180°C (360°F) alrededor de 40 minutos. Desmolde el pastel y deje enfriar antes de servir.

Secretos *del* Chocolate

■ *Puede sustituir 50 g de harina blanca "00" (de primera calidad) por 50 g de harina de Manitoba (harina reforzada con levadura), que podrá sostener el pastel enriquecido con trozos de fruta.*

■ *En vez de añadir a la miel las uvas pasas, puede experimentar otras combinaciones: cubos pequeños de manzana perfumada con canela, cubos pequeños de pera macerados en ron, cerezas deshuesadas partidas en trozos pequeños.*

■ *Puede elaborar un pastel blanco sustituyendo la cocoa por la misma cantidad de harina. Por otro lado, puede eliminar las uvas pasas y la miel, añadiendo en su lugar 15 ó 20 g de Cointreau (licor de naranja) o de Limoncello (licor de limón amarillo), para añadir humedad y sabor al pastel.*

■ *Recuerde picar siempre la fruta en trozos pequeños de modo que no se vayan al fondo del postre por ser demasiado pesados.*

9

10

Además de pasteles miniatura, puede obtener excelentes mantecadas colocando la masa en moldes individuales.

11 Puede preparar pasteles miniatura usando la misma masa: coloque la masa de cocoa y fruta dentro de una manga para repostería y rellene, aproximadamente hasta 3/4 de su capacidad, varios moldes individuales de forma rectangular de silicón. Hornee en horno de convección a 190°C (375°F) alrededor de 15 minutos.

12-13 Desmolde con mucho cuidado los pasteles miniatura y deje enfriar. Espolvoree con azúcar glass antes de servir. El pastel y los pasteles miniatura se conservan frescos durante 4 ó 5 días si se almacenan en recipientes con cierre hermético o si se cubren con plástico adherente y se mantienen en refrigeración.

13

1 – Temperado en microondas

El termómetro de cocina es un aliado indispensable para obtener un perfecto chocolate tibio

1 Trocee finamente el chocolate con ayuda de un cuchillo.

2 Coloque en el microondas y deje cocer a potencia media revolviendo constantemente (cada 15 segundos), hasta que el chocolate esté totalmente derretido.

3-4 Revise la temperatura del chocolate (máximo 33°C/91°F) antes de utilizarlo.

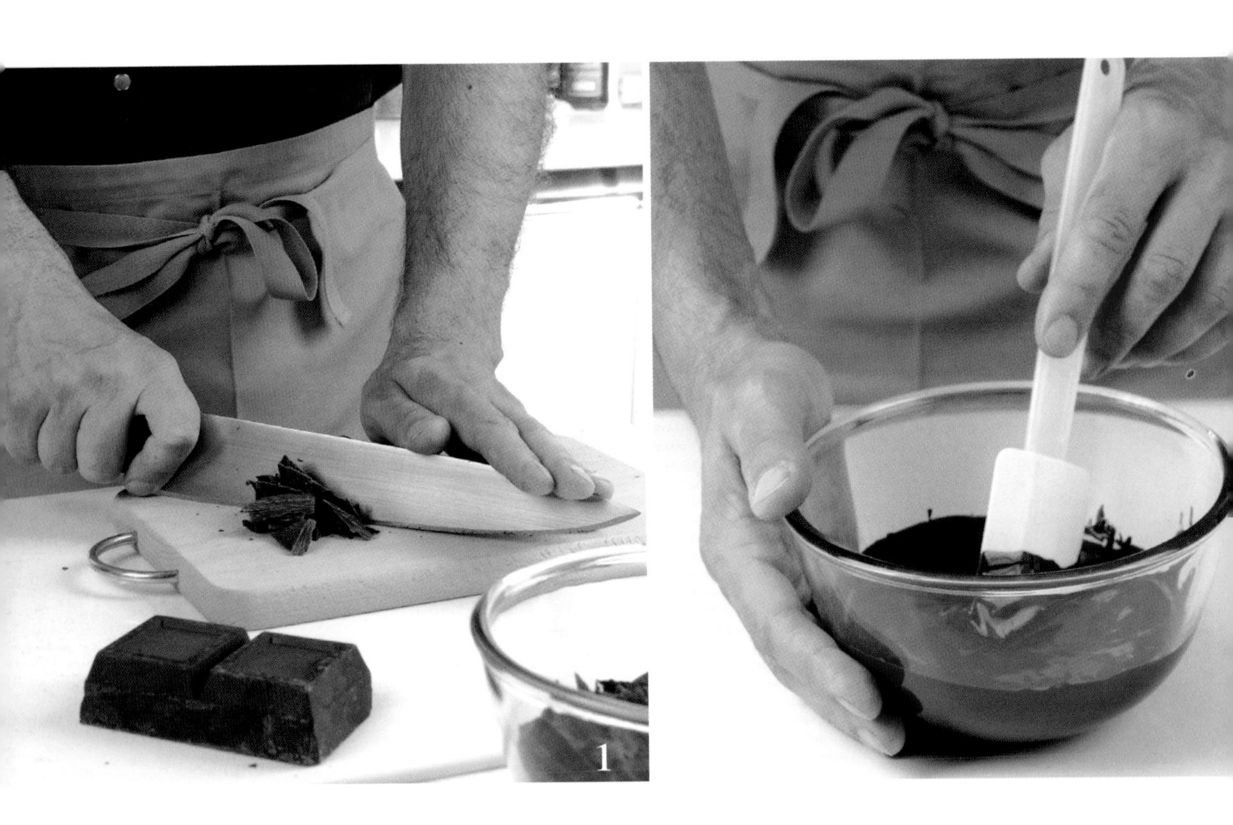

Secretos *del* Chocolate

■*El temperado es una preparación particular a la que se requiere someter el chocolate antes de utilizarlo para decoración o para realizar chocolates pequeños, para no arriesgarse a obtener un producto final de aspecto no uniforme. Las temperaturas de uso ideales para los diversos tipos de chocolate son: chocolate semi amargo, 31°C (89°F); chocolate de leche, 29°C (84°F); chocolate blanco, 28°C (82°F).*

■*Si se llegaran a exceder las temperaturas anteriormente indicadas, se corre el riesgo de llevar el chocolate "fuori tempera", es decir, se pierde la brillantez característica del producto así como la densidad que lo distingue; una vez cristalizado, el chocolate tendrá un aspecto blanquecino. La cantidad base de chocolate a utilizar es de 300 g.*

3

4

2 – Temperado por inseminación

Si el chocolate temperado llegara a resultar demasiado sólido, puede hacerlo más fluido colocándolo en el horno de microondas durante 5 segundos a potencia media

1 Ralle 2/3 del chocolate y derrita la parte restante en el microondas entre 45 y 50°C (113 y 122°F).

2-3 Mezcle el chocolate derretido con el rallado con ayuda de una espátula hasta integrar por completo.

4-5 La mezcla final deberá tener una temperatura de entre 30 y 32°C (86 y 89°F).

1

Secretos del chocolate

3

- *El chocolate temperado obtenido con este procedimiento tendrá la textura líquida que le brinda el chocolate fundido y la brillantez y lo crujiente que le ofrece el chocolate rallado.*

- *Si la temperatura ambiente en la cual se lleva a cabo el trabajo fuese particularmente alta, es recomendable dejar reposar el chocolate en refrigeración para que se endurezca antes de rallarlo.*

4

5

3- Temperado sobre mármol

Para preparar el chocolate siguiendo este método, si la superficie de su cocina está hecha de otros materiales, procure utilizar una tabla de picar o una superficie de mármol

1 Derrita el chocolate en el microondas o a baño María llevándolo a una temperatura de entre 45 y 50°C (113 y 122°F). Vierta 2/3 del chocolate sobre una superficie de mármol.

2-3-4 Esparza el chocolate fundido sobre la superficie de mármol con ayuda de una espátula de metal (como alternativa al mármol, utilice una superficie de acero) para disminuir la temperatura inicial a los 27°C (80°F).

5-6 Vuelva a colocar el chocolate esparcido en el tazón y vuélvalo a mezclar con el chocolate fundido restante: la mezcla final deberá tener una temperatura de entre 30 y 32°C (86 y 89° F).

1

3
4
5
6

Decoraciones con moldes de policarbonato

300 g de chocolate semi amargo ■
molde de policarbonato ■

1-2 Llene una manga para repostería con el chocolate temperado y distribúyalo en los espacios del molde. Agite los moldes para nivelar el chocolate y deje cristalizar.

3 Desmolde las tablillas de chocolate obtenidas volteando el molde sobre una superficie con un movimiento decidido

Hay una serie de decoraciones preparadas con chocolate temperado para enriquecer y personalizar sus pasteles.

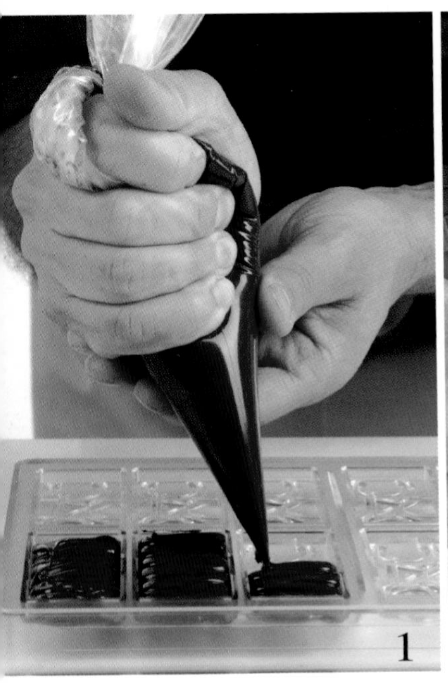
1

2

Decoración con placa de plexiglas

1 Extienda el chocolate temperado previamente ayudándose con una espátula sobre la placa de plexiglás.

2-3 Deje cristalizar la decoración realizada y despegue la hoja de chocolate de la placa de plexiglás con mucho cuidado.

- 300 g de chocolate semi amargo
- placa de plexiglás

La decoración se seca (el término técnico correcto es "se cristaliza") a temperatura ambiente en temporada de frío y en refrigeración durante la temporada de calor

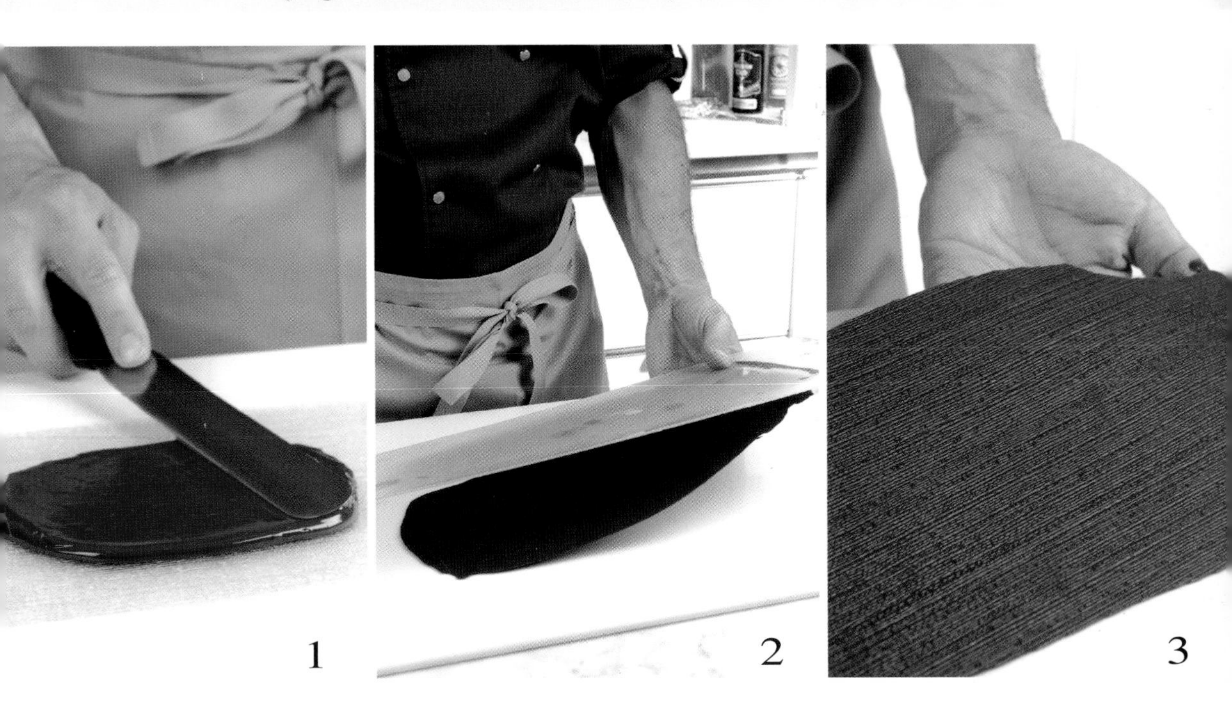

Decoración con hoja de acetato y cortador extensible

- 300 g de chocolate semi amargo
- 300 g de chocolate blanco
- 1 hoja de acetato
- cortador extensible

1-2 Extienda una capa delgada de chocolate previamente temperado sobre una hoja de acetato con ayuda de la espátula angulada. Deje cristalizar. Extienda el chocolate blanco temperado sobre la primera capa con una espátula. Deje cristalizar.

3-4 Usando un cortador extensible como el de la fotografía, divida la placa de dos chocolates en varias placas pequeñas. Obtendrá una decoración de dos colores.

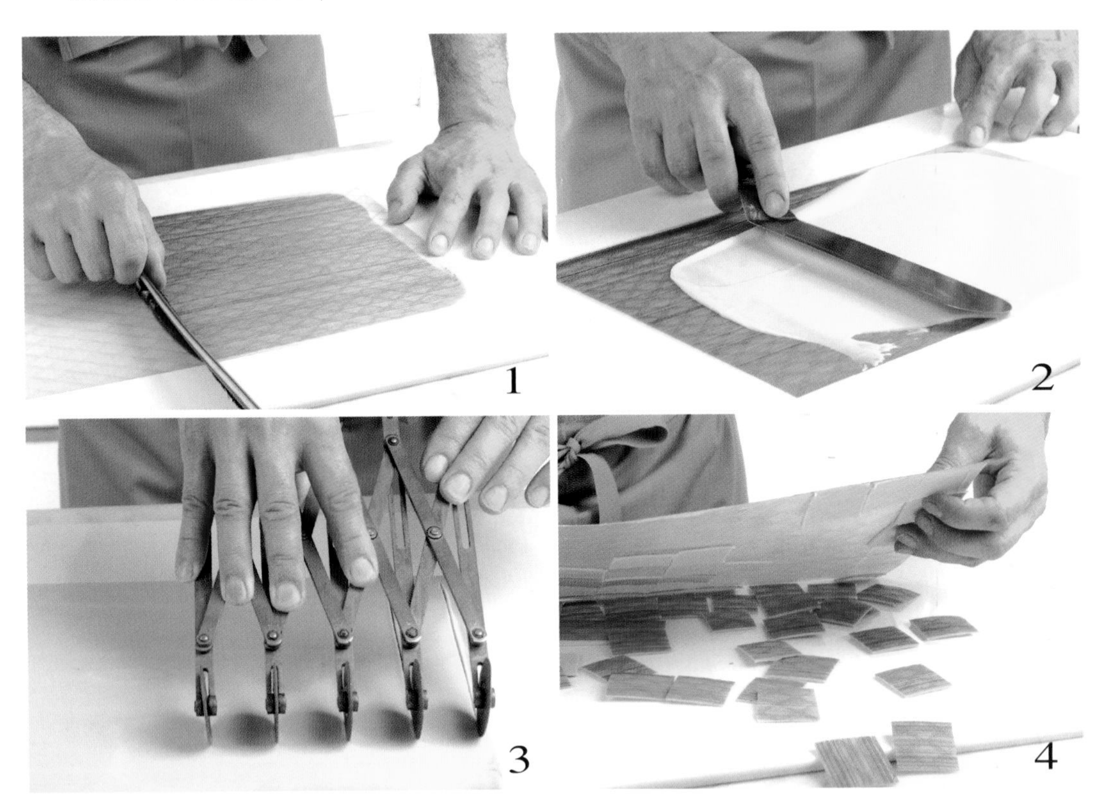

Decoración con plástico burbuja

1-2 Vierta el chocolate temperado sobre el plástico burbuja y extienda con ayuda de una espátula hasta obtener un espesor de 1/2 cm. Refrigere para que se enfríe.

3-4 Transcurrido el tiempo de enfriamiento, retire cuidadosamente el chocolate del plástico burbuja.

- 300 g de chocolate semi amargo
- plástico de burbujas para empaque

Decoración con números y letras

300 g de chocolate blanco ■
cortadores para galletas ■

1 Extienda el chocolate blanco temperado sobre una hoja de papel encerado, con ayuda de una espátula, hasta obtener un espesor de 3 ó 4 mm.

2 Deje cristalizar el chocolate y, con ayuda de los cortadores para galletas en forma de números o letras, decore el chocolate endurecido cortando varias letras o números.

3 Retire el chocolate blanco cristalizado del papel encerado y reúna las figuras previamente cortadas.

Decoración con hojas

1-2 Extienda una pequeña cantidad de chocolate blanco previamente temperado sobre las hojas de plástico con ayuda de una brocha para repostería.

3 Deje cristalizar el chocolate sobre las hojas. Tras la cristalización, retire cuidadosamente la figura de chocolate obtenida.

- 300 g de chocolate blanco
- hojas de plástico

Los utensilios propuestos son solamente el punto de partida. Diviértase experimentando con decoraciones usando diferentes materiales.

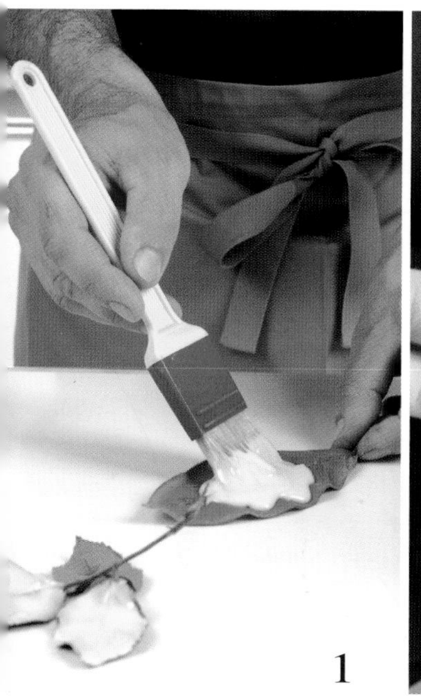

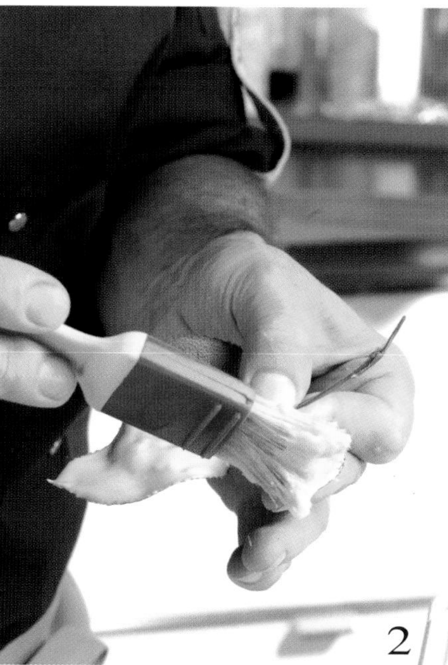

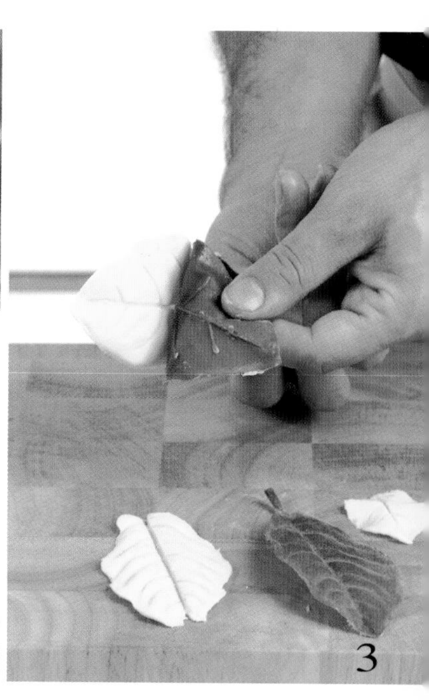

Glosario

Baño María ■ Es un método para calentar o cocer indirectamente, que garantiza mayor control cuando se trata de ingredientes delicados. La mezcla a cocinar se coloca en un tazón semiesférico que, a su vez, se coloca dentro de otro tazón que contiene agua hirviendo. Se pone todo sobre el fuego o en el horno. El agua en ebullición liberará calor lentamente y de manera delicada. Esta técnica viene de tiempos antiguos aunque hoy en día es muy utilizada en la elaboración de chocolate, budines y cremas.

Batidora industrial (Planetaria) ■ Se trata de un implemento profesional muy utilizado en la pastelería. Respecto al uso de este aparato de cocina, cada vez más popular entre los golosos y aspirantes a pasteleros, garantiza óptimos resultados reduciendo los tiempos de elaboración de las masas.

Caramelizar ■ Propiamente, es el acto de cocinar el azúcar hasta dejarlo hecho caramelo. Este término también se utiliza para otros ingredientes cuando, expuestos a una cocción a fuego alto, asumen el aspecto del caramelo, oscureciéndose y endureciéndose.

Cernir ■ Pasar harina, azúcar o fécula a través de un cedazo para eliminar grumos y dar ligereza a la masa.

Compota ■ Es una conserva de fruta particularmente delicada que se obtiene de la cocción de fruta fresca o seca en un jarabe de agua y azúcar (a veces aromatizado con vainilla, canela o cáscara de cítricos).

Cristalización ■ Se utiliza en sentido general para indicar la solidificación del chocolate fundido, el término en pastelería se refiere más específicamente a la fase de enfriamiento de la manteca de cacao presente en el chocolate, que tiende a formar cristales irregulares. Por tal motivo, hay que prestar mucha atención y cuidado las fases del temperado para obtener una cristalización regular.

Engrasar con mantequilla ■ Cubrir con una ligera capa de mantequilla los moldes, instrumentos o tazones para la cocción al horno; generalmente estos recipientes se enharinan o se espolvorean con azúcar para caramelizar la base de la preparación dulce.

Estirar (o bajar) ■ Término utilizado para definir el espesor de una masa adelgazada con ayuda de un rodillo o de una máquina para hacer láminas.

Fécula de papa ■ Es un almidón que se obtiene mediante el secado de las papas. Debido a su consistencia impalpable, se utiliza como sustituto o se mezcla con la harina para obtener masas muy ligeras o para obtener masas más fácilmente quebradizas y ricas en grasas. También se utiliza para obtener cremas y salsas más consistentes. Se puede sustituir por fécula de maíz (es decir, almidón de maíz).

Fuente ■ Es la "corona" que se hace con harina depositada sobre una mesa de trabajo con el fin de contener dentro los ingredientes que se mezclarán con la misma.

Ganache ■ Término utilizado en la repostería para indicar una crema muy fácil de utilizar de diversas formas: caliente, es un glaseado de chocolate perfecto para decoración de pasteles: fría y batida es, a su vez, muy útil como cobertura. Única precaución: no se debe conservar en refrigeración para evitar un endurecimiento excesivo. Para elaborarla, vea la receta en la página 20.

Glaseado ■ Es una cobertura brillante que se coloca sobre una vianda o a un dulce para darle un aspecto más agradable o apetitoso. Puede ser una cobertura de azúcar, una cobertura de salsa o una salsa reducida al calor, así como un fondo de cocción ligeramente azucarado en la cual se cocieron verduras.

Manga para repostería ■ Cono de plástico o de lona con una abertura en el extremo más delgado, en el cual se colocan crema o rellenos para ser utilizados como decoración para las más diversas preparaciones culinarias. La punta puede tener diversas formas.

Montar ■ Batir una mezcla para aumentar el volumen y obtener una consistencia suave y espumosa.

Punto de turrón ■ Término usado en particular para las claras de huevo batidas. Para que quede más sólido, las claras deben ser montadas, primero lentamente y posteriormente más rápido.

Ralladura ■ Término que se refiere a unas delgadas tiras o a la molienda fina de la cáscara de naranja o limón completamente separadas de la pulpa de la fruta y sin la parte blanca y amarga.

Temperado ■ Se trata de la técnica de trabajo del chocolate que consiste en fundirlo y posteriormente dejarlo enfriar hasta llegar a una temperatura comprendida entre los 28 y 31°C (82 y 87ºF), para poder utilizarlo en varias preparaciones, principalmente en la decoración. Las técnicas más útiles se encuentran descritas de la página 36 a la 41.

Tpt ■ Con estas siglas se denomina en pastelería a una harina hecha de almendras molidas y azúcar por partes iguales. Tpt significa tanto por tanto. Se puede encontrar también la diferencia entre tpt blanco (con almendras sin piel) y tpt oscuro (con almendras crudas con cáscara.) La preparación se encuentra en la página 14.

Vainilla ■ Aromatizante y saborizante obtenido de la planta de la vainilla o producida de manera sintética. Si se encuentra en polvo se utiliza en pequeñas dosis y se disuelve en agua caliente. Se utiliza no solamente en la cocina, sino también en la perfumería.

Recetas

Suaves o fundidos, sencillos o elaborados, siempre golosos, los pasteles de chocolate nos llenan de sabor y de energía cada momento del día, desde el desayuno hasta después de la cena, haciendo únicas también las ocasiones más especiales.

Rosca marmoleada

Ingredientes para 8 porciones ■

175 g de mantequilla,
a temperatura ambiente
130 g de azúcar
1 cucharadita de extracto de vainilla
3 huevos
225 g de harina blanca "00" o de
primera calidad, cernida
sal
1/2 cucharadita de
polvo para hornear
50 g de chocolate de leche, derretido

Preparación 20 minutos ■
Cocción 35 minutos ■
Grado de dificultad fácil ■

Trabaje la mantequilla con el azúcar y la vainilla. Incorpore los huevos y la harina, una pizca de sal y el polvo para hornear. Divida la mezcla en dos partes y agregue el chocolate derretido a una de ellas. Mezcle hasta integrar por completo.

Vierta las dos mezclas en un molde para rosca mediano bien engrasado con mantequilla, alternando ambas masas, de manera que obtenga un efecto marmoleado. Hornee a 190°C (375°F) durante 30 minutos, deje enfriar y sirva el pastel acompañado, si lo desea, con una taza de té.

Pastel de chocolate y almendras

Ingredientes para 8 porciones ■

200 g de galletas
600 ml de miel de maple (jarabe de arce)
1 cucharada de leche de arroz
100 g de chocolate semi amargo
2 cucharaditas de crema de almendras blancas

Para decorar
60 g de almendras en hojuelas

Preparación 15 minutos ■
Cocción 13 minutos ■
Grado de dificultad fácil ■

En un procesador de alimentos desmorone las galletas. Agregue la miel y una cucharada de leche de arroz para formar una pasta. Procese de nuevo y distribuya la mezcla sobre la base de un molde desmontable forrado con papel encerado para hornear. Hornee a 180°C (360°F) durante 8 minutos y deje enfriar.

Derrita el chocolate a baño María, agregue la crema de almendras y, en cuanto el pastel esté tibio, unte sobre él glaseándola. Tueste las almendras en el horno durante varios minutos y decore el pastel. Refrigere durante una hora y sirva.

Consejo del pastelero

Si no encuentra la miel de maple (jarabe de arce), puede utilizar 1/2 litro de miel de abeja de acacia o millefiori (mil flores).

Pastel de avellanas al capuchino

Ingredientes para 8 porciones

200 g de azúcar
5 huevos
300 g de avellanas, picadas
2 tazas pequeñas de café exprés
300 g de chocolate semi amargo
100 g de mantequilla
1 cucharadita de polvo para hornear
2 cucharaditas de extracto de vainilla
3 cucharadas de fécula de papa, cernida
100 ml de leche entera
azúcar glass (opcional)

Preparación 15 minutos
Cocción 55 minutos
Grado de dificultad fácil

En un tazón mezcle el azúcar, los huevos, las avellanas y una taza de café. Derrita el chocolate con la mantequilla a baño María y vierta en hilo sobre la mezcla, mezclando constantemente.

Agregue el polvo para hornear, la vainilla y la fécula de papa. Mezcle hasta obtener una mezcla tersa, vierta sobre un molde para pastel previamente engrasado con mantequilla y enharinado y hornee a 180ºC (360ºF) durante 50 minutos.

Prepare un capuchino con la leche caliente y el café restante. Bata con ayuda de un batidor adecuado para crear la espuma. Acompañe el pastel con el capuchino caliente, espolvoreándolo, si gusta, con azúcar glass.

Consejo del pastelero

También puede derretir el chocolate y la mantequilla en el microondas a potencia media, mezclando continuamente y evitando la ebullición de la mezcla.

Pastel suave de cítricos
y chocolate de leche

Ingredientes para 4 porciones ■

150 g de chocolate de leche
ralladura de 1 limón amarillo sin cera
ralladura de 1 naranja sin cera
60 g de harina blanca "00" o de primera calidad
95 g de almendras
4 huevos, separados
125 g de azúcar
2 cucharadas de leche tibia
sal
1/2 cucharada de polvo para hornear

Para decorar
170 ml de crema batida
azúcar glass
chocolate de leche, en hojuelas

Preparación 30 minutos ■
Cocción 50 minutos ■
Grado de dificultad medio ■

Engrase con mantequilla un molde desmontable y cubra la base con papel encerado para hornear. En un procesador de alimentos pique 100 g de chocolate con una cucharada de ralladura de los cítricos. Agregue la harina y las almendras y procese. Bata las yemas y el azúcar con ayuda de una batidora eléctrica e integre con la leche tibia.

Bata las claras con una pizca de sal e incorpore delicadamente a la masa, usando movimiento envolvente. Por último, agregue el polvo para hornear y vierta la mezcla en el molde. Hornee durante 45 minutos a 180°C (360°F), deje enfriar antes de desmoldar el pastel y cortar transversalmente a la mitad.

Derrita el chocolate restante y unte sobre la base del pastel. Rellene con la crema batida y cubra con la parte superior del pastel. Deje enfriar durante 20 minutos y decore con azúcar glass y hojuelas de chocolate.

Consejo del pastelero

Para variar la preparación puede sustituir el relleno de crema por mermelada de cítricos.

Pastel a la cocoa, higos
y frutas cristalizadas con salsa de chocolate blanco

Ingredientes para 8 porciones ■

120 g de mantequilla, a temperatura ambiente
230 g de azúcar
2 huevos
sal
185 g de harina blanca "00" o de primera calidad, cernida
1/3 cucharadita de polvo para hornear
40 g de cocoa en polvo sin azúcar
185 ml de leche
120 g de higos secos
60 g de fruta cristalizada, picada en dados pequeños

Para la salsa
50 ml de crema para batir
100 ml de chocolate blanco, picado
nuez moscada

Preparación 30 minutos ■
Cocción 50 minutos ■
Grado de dificultad medio ■

Usando una batidora eléctrica bata 120 g de mantequilla con el azúcar, hasta que la mezcla se vuelva blanca. Incorpore los huevos, uno a la vez, y una pizca de sal; continúe batiendo. Espolvoree con la harina, el polvo para hornear y la cocoa, alternando con la leche, de manera que obtenga una pasta lisa y suave.

Corte los higos en dados pequeños e integre con la mezcla; vierta todo en un molde para panqué previamente engrasado con mantequilla y su base forrada con una hoja de papel encerado para hornear. Empareje la superficie y agregue la fruta cristalizada cortada en dados pequeños. Hornee a 180°C (360°F) alrededor de 45 minutos.

Mientras tanto, caliente la crema, retire del fuego, e incorpore el chocolate picado; bata hasta obtener una mezcla tersa. Saque el pastel del horno, deje entibiar sobre una rejilla y corte en rebanadas. Acompañe con la salsa de chocolate blanco espolvoreando ligeramente con nuez moscada.

Consejo del pastelero

Si desea una alternativa más fina, en lugar de nuez moscada puede utilizar la preciada nuez pecana.

Crostata de chocolate y almendras

Ingredientes para 6 porciones ■

200 g de harina blanca "00" o de primera calidad
120 g de mantequilla fría, partida en trozos pequeños
75 g de azúcar
2 yemas
1 cucharadita de polvo para hornear
200 g de chocolate semi amargo
1/2 taza de leche
50 g de azúcar

Para decorar
3 ó 4 galletas, finamente picadas
30 g de almendras sin piel, picadas en trozos grandes

Preparación 15 minutos ■
Cocción 35 minutos ■
Grado de dificultad fácil ■

Amase rápidamente la harina, la mantequilla, el azúcar, las yemas y el polvo para hornear. Extienda la pasta sobre un molde de aproximadamente 26 cm de diámetro, con borde ligeramente alto y deje endurecer en el refrigerador durante 30 minutos.

Derrita el chocolate con la leche sobre el fuego, incorpore el azúcar y continúe mezclando. Vierta el chocolate sobre la base de pasta y esparza sobre la superficie las galletas y las almendras.

Hornee la tarta durante 30 minutos a 160ºC (320ºF). Sirva la tarta fría, cortada en cuadros.

Consejo del pastelero

Para variar la receta y dar a la tarta un agradable aroma de almendra puede sustituir las galletas por 4 ó 5 galletas de almendra (amaretti), desmoronadas.

Pastel suave de peras y cocoa

Ingredientes para 6 porciones ■

3 peras
2 huevos + 1 yema
110 g de azúcar
250 g de queso mascarpone, suavizado
100 g de harina blanca "00" o de primera calidad
35 g de cocoa en polvo sin azúcar
1/4 cucharadita de polvo para hornear

Para decorar
1 pera

Preparación 20 minutos ■
Cocción 40 minutos ■
Grado de dificultad fácil ■

Pele las peras, elimine el centro, corte en cubos pequeños y reserve. Bata los huevos, la yema y el azúcar hasta que espume. Agregue el queso mascarpone y mezcle hasta integrar por completo.

Cierna la harina y la cocoa sobre la mezcla obtenida; revuelva hasta integrar por completo. Agregue el polvo para hornear y las peras. Forre un molde con papel encerado para hornear y vierta la pasta, empareje con ayuda de una espátula y hornee a 180ºC (360ºF) durante 40 minutos. Deje enfriar y sirva el pastel decorado con rebanadas de pera.

Consejo del pastelero

Para evitar que las peras ya cortadas en cubos pequeños se ennegrezcan, moje con agua acidulada preparada con el jugo de 1/2 limón. Si lo desea, también puede rociar las peras con alchermes u otro licor dulce.

Tarta de almendras y chocolate

Ingredientes para 6 porciones ■

140 g de almendras
100 g de chocolate semi amargo
100 g de mantequilla
120 g de azúcar
3 huevos
pan molido

Para decorar
azúcar glass

Preparación 30 minutos ■
Cocción 45 minutos ■
Grado de dificultad fácil ■

Escalde y pele las almendras; pique en un procesador de alimentos. Derrita el chocolate a baño María y agregue la mantequilla, el azúcar y las almendras. Deje enfriar y añada las yemas.

Bata las claras a punto de nieve bien firme e incorpore lentamente con la pasta, usando movimiento envolvente.

Engrase con mantequilla un molde desmontable, espolvoree con pan molido y vierta la pasta. Hornee a 180ºC (360ºF) durante 35 minutos. Deje enfriar el pastel y espolvoree con azúcar glass.

Consejo del pastelero

Si lo desea, puede acompañar el pastel con una crema fría obtenida licuando 100 g de queso crescenza (queso crema), 2 cucharadas de leche, 3 cucharadas de crema para batir, 1 cucharadita y media de azúcar glass y 1 cucharadita de extracto de vainilla.

Pastel de zanahoria, chocolate y coco

Ingredientes para 8 porciones

3 huevos
200 g de harina blanca "00" o de primera calidad
100 g de harina de coco
150 g de azúcar
5 cucharadas de aceite de semillas
50 ml de leche
1 cucharadita de extracto de vainilla
1/2 cucharadita de polvo para hornear
150 g de zanahorias, ralladas
100 g de chocolate de leche
azúcar glass (opcional)

Preparación 20 minutos
Cocción 30 minutos
Grado de dificultad fácil

En un tazón mezcle los huevos, la harina blanca y la de coco, el azúcar, el aceite de semillas, la leche, la vainilla, el polvo para hornear y las zanahorias. Mezcle hasta integrar por completo y coloque la mezcla en un molde para pasteles previamente engrasado con mantequilla y enharinado.

Corte el chocolate en trozos muy pequeños e integre con la mezcla con ayuda de una cuchara de madera. Hornee el pastel a 180ºC (360ºF) alrededor de 30 minutos. Desmolde en cuanto esté tibio y sirva espolvoreado, al gusto, con azúcar glass o harina de coco.

Consejo del pastelero

Para obtener un mejor resultado, después de haber rallado las zanahorias, extienda en una sola capa sobre papel absorbente, cubra con otro papel y deje secar alrededor de una hora.

Pan con especias

Ingredientes para 6 porciones ■

340 g de uvas pasas
200 g de miel de abeja
150 g de azúcar
10 g de semillas de anís
15 g de bicarbonato de sodio
2 tazas de agua hirviendo
300 g de harina blanca "00" o de primera calidad
60 g de cáscara de naranja y fruta cristalizada, cortada en dados pequeños
40 g de piñones, picados en trozos pequeños
40 g de almendras, blanqueadas, sin piel y picadas
40 g de chocolate semi amargo, rallado

Preparación 30 minutos ■
Cocción 75 minutos ■
Grado de dificultad fácil ■

Precaliente el horno a 180°C (360°F) y remoje las uvas pasas en agua tibia. Caliente brevemente la miel de abeja a baño María; mezcle en un tazón profundo con el azúcar y agregue las semillas de anís, el bicarbonato y las 2 tazas de agua hirviendo.

Continúe mezclando, espolvoree la harina en forma de lluvia sobre el tazón (ponga atención de que no se formen grumos). En cuanto se haya integrado por completo, agregue poco a poco las uvas pasas escurridas y exprimidas, la fruta cristalizada, los piñones, las almendras y el chocolate.

Cuando obtenga una mezcla tersa vierta en un molde para panqué, previamente forrado con una hoja de papel encerado para hornear engrasada con mantequilla. Hornee durante 1 hora y 15 minutos.

Consejo del pastelero

Este postre se conserva fresco durante semanas si se cubre con plástico adherente o con papel aluminio y se almacena en un recipiente hermético.

Pastel de pan y chocolate

Ingredientes para 8 porciones ■

100 g de nueces
50 g de higos secos
30 g de uvas pasas
200 g de chocolate semi amargo
200 ml de mosto cocido
(arrope) o vino
400 g de pan de caja
1 huevo
100 g de margarina
100 g de azúcar
30 g de cocoa en polvo sin azúcar
Glaseado de chocolate
blanco (opcional)

Preparación 40 minutos ■
Cocción 60 minutos ■
Grado de dificultad medio ■

Pique las nueces, corte los higos en trozos pequeños y remoje las uvas pasas en agua tibia. Derrita el chocolate a baño María. Mezcle las nueces, las uvas pasas escurridas y exprimidas y los higos y cubra todo con el mosto cocido o con vino. Cocine a fuego lento hasta que el líquido se haya reducido a la mitad y condensado.

Amase el pan con el huevo, la margarina, el azúcar y la cocoa. Extienda en un molde para pastel previamente engrasado con mantequilla, haciendo que suba hasta más allá de los bordes.

Distribuya sobre la masa el postre preparado, doble las orillas de pasta hacia el centro, cubriendo el relleno, y deje esponjar alrededor de una hora. Hornee a 180ºC (360ºF) alrededor de 30 minutos o hasta que la superficie quede bien dorada o cocida.

Una vez frío, sirva el pastel al natural o cubierto con un glaseado de chocolate blanco.

Consejo del pastelero

En lugar de vino puede usar miel de abeja diluida con un poco de agua a baño María.

Pastel de chocolate
con mermelada de durazno

Ingredientes para 8 porciones

5 huevos
80 g de azúcar
300 g de harina blanca "00" o de primera calidad
100 g de fécula de papa
100 g de mantequilla, derretida
2 cucharadas de cocoa en polvo sin azúcar, cernida
1/2 cucharada de extracto de vainilla
1 cucharadita de polvo para hornear
200 g de mermelada de durazno

Para el glaseado

100 g de chocolate semi amargo
2 cucharadas de crema para batir

Preparación 25 minutos
Cocción 45 minutos
Grado de dificultad fácil

Bata los huevos con el azúcar. Agregue la harina y la fécula. Añada la mantequilla. Agregue la cocoa y mezcle lentamente. Agregue la vainilla y, por último, el polvo para hornear.

Ponga la pasta en un molde para pastel previamente engrasado con mantequilla y enharinado y hornee a 180ºC (360ºF) entre 35 y 40 minutos. Hornee el pastel, desmolde y deje reposar antes de cortarlo a la mitad para rellenarlo con mermelada.

Junte el pastel y prepare el glaseado derritiendo el chocolate con la crema a baño María. Extienda uniformemente sobre el pastel y deje endurecer en el refrigerador.

Consejo del pastelero

En verano puede sustituir la mermelada por fruta muy madura, marinada durante media hora con jugo de limón amarillo y 2 cucharadas de Cointreau.

Pastel suave de manzanas
y gotas de chocolate

Ingredientes para 8 porciones ■

1 vaso (250 g) de yogurt entero
2 huevos
100 ml de aceite de maíz
100 g de azúcar
200 g de harina blanca "00" o de primera calidad
80 g de chispas de chocolate
2 manzanas
1 cucharadita de polvo para hornear

Preparación 10 minutos ■
Cocción 45 minutos ■
Grado de dificultad fácil ■

En un tazón profundo mezcle el yogurt con los huevos, el aceite de maíz, el azúcar, la harina y las chispas de chocolate.

Pele las manzanas y corte en dados pequeños. Añada a la mezcla e integre con cuidado, agregando el polvo para hornear.

Acomode la mezcla en un molde para pastel previamente engrasado con mantequilla y enharinado y hornee a 180ºC (360ºF) entre 40 y 45 minutos. Sirva el pastel cuando se haya entibiado.

Consejo del pastelero

Este pastel también se puede consumir algunos días después de la cocción. Puede enriquecer su sabor agregando a la masa una pizca de canela en polvo al gusto.

Pastel delicia de chocolate

Ingredientes para 8 porciones ■

250 g de harina blanca "00" o de primera calidad
150 g de azúcar
1 huevo + 1 yema
150 g de mantequilla, a temperatura ambiente
1/2 cucharadita de polvo para hornear
1 cucharadita de extracto de vainilla
ralladura de 1 limón amarillo sin cera

Para la crema
150 g de chocolate semi amargo
1 huevo
120 g de azúcar
50 ml de crema fresca
1 cucharadita de extracto de vainilla

Preparación 30 minutos ■
Cocción 35 minutos ■
Grado de dificultad fácil ■

Mezcle la harina con el azúcar, agregue el huevo, la yema y la mantequilla. Por último, agregue el polvo para hornear, la vainilla y la ralladura de limón; amase con rapidez.

Derrita el chocolate a baño María. Mientras tanto, bata el huevo con el azúcar hasta obtener una mezcla espumosa y suave. Agregue la crema y la vainilla. Una vez derretido el chocolate y enfriado, integre con la crema, azúcar y huevo: la mezcla deberá quedar tersa y suave.

Extienda la pasta sin dejarla demasiado delgada (reserve un poco para decorar), forre un molde para tarta y cubra con la crema al chocolate. Decore la superficie con las tiras de pasta reservadas. Hornee entre 160 y 170°C (320 y 340°F) alrededor de 30 minutos y cuando esté frío sirva, cortado en rebanadas.

Tarta al rompope
con chocolate de leche y fresas asadas

Ingredientes para 8 porciones

125 g de mantequilla, a temperatura ambiente
3 cucharadas de azúcar
1 cucharadita de extracto de vainilla
1 huevo, batido
sal
200 g de harina blanca "00" o de primera calidad, cernida

Para el rompope de chocolate

250 g de chocolate de leche
200 g de mantequilla
2 huevos
4 yemas
3 cucharadas de azúcar

Para decorar

100 g de fresas, partidas a la mitad
2 cucharadas de azúcar mascabado
100 g de crema para batir
chocolate semi amargo, en hojuelas

Preparación 30 minutos
Cocción 40 minutos
Grado de dificultad medio

En un tazón trabaje la mantequilla con el azúcar y la vainilla. Agregue el huevo batido, una pizca de sal y la harina. Cubra la mezcla con plástico adherente y refrigere.

Engrase con mantequilla y enharine dos moldes para tartaleta medianos con bordes ondulados. Forre con la pasta. Cubra con papel encerado para hornear y leguminosas secas. Hornee durante 8 minutos a 180°C (360°F), retire el papel y hornee durante 5 minutos más.

Derrita el chocolate y la mantequilla a baño María. En un tazón bata los huevos y las yemas con el azúcar, sobre el agua caliente del baño María; bata hasta hacer cuadruplicar el volumen y agregue el chocolate con la mantequilla.

Vierta el rompope sobre la pasta y hornee durante 10 minutos. Deje enfriar y refrigere. En una sartén cocine las fresas, espolvoreando con azúcar. Cubra la tarta con crema batida, chocolate y con las fresas calientes.

Pastel a la canela
glaseado con chocolate de leche

Ingredientes para 8 porciones ■

250 g de harina blanca "00" o de primera calidad
1 cucharadita de polvo para hornear
1 cucharada de canela en polvo
250 g de azúcar
2 huevos
250 ml de leche entera
sal
125 g de mantequilla, derretida

Para el glaseado
100 g de chocolate de leche
30 ml de crema para batir, batida

Preparación 40 minutos ■
Cocción 35 minutos ■
Grado de dificultad medio ■

Cierna la harina con el polvo para hornear y la canela y pase a una olla con el azúcar. Bata los huevos y la leche con una pizca de sal y pase a la olla con la harina y azúcar, trabajando con rapidez con una cuchara.

Incorpore la mantequilla y vierta la mezcla en un molde rectangular, previamente engrasado con mantequilla y enharinado o forrado con papel encerado para hornear. Hornee a 180ºC (360ºF) durante 30 minutos y deje entibiar.

Derrita el chocolate a baño María y, en cuanto esté tibio, agregue la crema batida de manera que vuelva la mezcla más firme. Desmolde el pastel, corte en trozos pequeños y cubra con el glaseado preparado. Deje cuajar y sirva el pastel espolvoreado, al gusto, con un poco de canela.

Cúpula de chocolate

Ingredientes para 8 porciones ▪

200 g de almendras dulces
8 almendras marcona
150 g de sémola
ralladura de 1 limón amarillo sin cera
6 huevos
sal
200 g de azúcar

Para el glaseado
150 g de chocolate semi amargo
30 g de mantequilla

Preparación 40 minutos ▪
Cocción 55 minutos ▪
Grado de dificultad medio ▪

Remoje las almendras en agua hirviendo durante 5 minutos. Retire la piel y pique finamente en un mortero (molcajete). Agregue la sémola y la ralladura del limón, mezclando de manera que obtenga una mezcla de preferencia harinosa.

Separe los huevos y bata las claras con una pizca de sal a punto de turrón. Incorpore con delicadeza las claras con la mezcla de almendras y sémola, agregue las yemas, una a la vez, y el azúcar, mezclando hasta obtener una pasta tersa, sin grumos.

Forre un tazón refractario en forma de cúpula con papel aluminio, vierta la mezcla y hornee a 200ºC (400ºF) durante 45 minutos. Al final de la cocción ponga el pastel sobre una hoja de papel encerado y deje reposar durante 24 horas.

Derrita el chocolate a baño María con la mantequilla, unte sobre la base del pastel y sucesivamente, una vez solidificada la primera capa, unte sobre la parte superior. Deje solidificar completamente y sirva.

Pastel glaseado de zanahorias
y pistaches

150 g de pistaches sin sal
150 g de azúcar
ralladura de 1 limón amarillo sin cera
300 g de zanahorias sin piel
4 huevos
sal
40 g de harina blanca "00" o de primera calidad
1 cucharadita de polvo para hornear

Para el glaseado
100 g de chocolate blanco
20 g de mantequilla
ralladura de 1 limón amarillo sin cera
1 cucharada de limoncello (licor de limón)

Preparación 30 minutos ■
Cocción 50 minutos ■
Grado de dificultad fácil ■

Pele los pistaches y pique en un procesador de alimentos con el azúcar y la ralladura del limón. Pase la mezcla a un tazón. Corte las zanahorias en rodajas y muela en el procesador de alimentos con los huevos y una pizca de sal.

Una las dos mezclas. Cierna la harina y el polvo para hornear sobre la mezcla e integre. Vierta en un molde de 22 cm de diámetro y hornee durante 10 minutos a 160°C (320°F), eleve la temperatura a 180°C (360°F) y continúe la cocción durante 25 minutos más.

Mientras tanto, derrita el chocolate a baño María con la mantequilla. Perfume con la ralladura de limón y, en cuanto el pastel esté desmoldado y frío, agregue el limoncello al chocolate y esparza inmediatamente el glaseado sobre el pastel. Deje cuajar en el refrigerador y sirva.

Consejo del pastelero

Puede preparar un glaseado "sin alcohol" sustituyendo el licor por jugo colado de 1/2 limón amarillo y procediendo como lo indica la receta.

Rosca de chocolate y avellanas

Ingredientes para 8 porciones ■

4 huevos , separados
100 g de azúcar
180 g de chocolate semi amargo
50 g de mantequilla
50 g de pasta de avellanas pura
200 g de harina blanca "00" o de primera calidad
20 g de fécula de papa
sal

Para decorar
100 ml de crema batida
1/2 cucharadita de azúcar glass
8 hojas de menta pequeñas

Preparación 15 minutos ■
Cocción 50 minutos ■
Grado de dificultad fácil ■

Bata las yemas con el azúcar hasta obtener una mezcla espumosa. Diluya el chocolate con la mantequilla a baño María o en el microondas y vierta sobre la mezcla de huevo. Agregue la pasta de avellanas, la harina y la fécula cernidas juntas.

Bata las claras con una pizca de sal e incorpore a la masa para dejarla tersa. Vierta todo en un molde para rosca previamente engrasado con mantequilla y enharinado.

Hornee a 180°C (360°F) durante 45 minutos. Sirva la rosca tibia acompañada de crema batida, azúcar glass y hojas de menta.

Consejo del pastelero

Puede acompañar el pastel con un puré de frambuesas preparado con 300 g de fruta, una cucharada de azúcar y algunas gotas de jugo de limón. Después de haber licuado todos los ingredientes, puede pasar la salsa por un colador para eliminar las semillas.

Pavé al chocolate de leche
y almendras

Ingredientes para 8 porciones ■

150 g de almendras
50 g de pan brioche
200 g de chocolate de leche
100 g de chocolate semi amargo
2 cucharadas de brandy
150 g de azúcar
150 g de mantequilla, a temperatura ambiente
4 huevos, batidos
1 cucharadita de extracto de vainilla
200 g de queso mascarpone

Para decorar
cocoa en polvo sin azúcar
crema batida (opcional)

Preparación 35 minutos ■
Cocción 40 minutos ■
Grado de dificultad fácil ■

Pele las almendras y tueste en el horno a 170°C (340°F), hasta dorar ligeramente. En un procesador de alimentos pique las almendras con el pan brioche. Engrase con mantequilla dos moldes de 10 cm de diámetro y espolvoree el interior con la mezcla preparada, reservando el excedente.

Derrita el chocolate de leche con el semi amargo en el microondas o a baño María, agregue el brandy y mezcle hasta integrar por completo; deje entibiar y endurecer. Usando una batidora eléctrica bata el azúcar con la mantequilla. Agregue el chocolate, los huevos, la vainilla y el queso mascarpone.

Incorpore con la mezcla de almendras y pan brioche restante y vierta en los moldes. Hornee a 170°C (340°F) durante 30 minutos. Deje enfriar durante 10 minutos antes de desmoldar y espolvoree con la cocoa. Sirva de inmediato decorando, al gusto, con un poco de crema batida.

Pastel con cubierta blanca

Ingredientes para 6 porciones ■

200 g de harina blanca "00" o de primera calidad
100 g de mantequilla fría, cortada en trozos pequeños
65 g de azúcar
1 yema
3 cucharadas de agua de rosas
sal

Para el relleno
4 claras de huevo
70 g de azúcar
4 cucharadas de agua de rosas
250 g de crema fresca

Para decorar
chocolate semi amargo, derretido

Preparación 40 minutos ■
Cocción 40 minutos ■
Grado de dificultad medio ■

Prepare la base de pasta amasando la harina con la mantequilla, el azúcar, la yema, el agua de rosas y una pizca de sal. Trabaje todo con la punta de los dedos para no calentar demasiado la pasta. Cuando haya obtenido una bola compacta, cúbrala y deje reposar durante media hora en el refrigerador.

Bata las claras a punto de turrón, agregando el azúcar poco a poco; agregue al final el agua de rosas y continúe batiendo. Incorpore delicadamente la crema. Forre con la pasta un molde para pastel previamente engrasado con mantequilla y vierta sobre ella, el relleno preparado.

Hornee a 210°C (410°F) durante 40 minutos: el pastel se esponjará y dorará y, una vez desmoldado, naturalmente disminuirá su tamaño. Cuando esté frío, decore con el chocolate semi amargo derretido, deje entibiar y sirva.

Consejo del pastelero

Para no calentar demasiado la pasta de la tarta, cuando la trabaje puede utilizar un tazón frío y lavarse primero las manos en agua con hielo.

Azulejo de choco-coco

Ingredientes para 6 porciones ■

120 g de chocolate semi amargo, partido en trozos pequeños
90 g de mantequilla
2 huevos, batidos
200 g de azúcar
90 g de harina blanca "00" o de primera calidad, cernida
3 cucharadas de coco rallado

Preparación 20 minutos ■
Cocción 40 minutos ■
Grado de dificultad fácil ■

Derrita el chocolate y la mantequilla a baño María, retire del fuego, pase a un tazón y deje enfriar. Agregue los huevos, el azúcar y la harina; mezcle hasta integrar por completo. Por último, incorpore el coco.

Precaliente el horno a 180ºC (360ºF) y engrase con mantequilla un molde de aproximadamente 20 cm de diámetro. Vierta la pasta en el molde y hornee alrededor de 30 minutos, hasta obtener un postre cuya superficie deberá estar bien crocante y la parte inferior suave. Deje enfriar y corte el pastel en cuadros pequeños.

Consejo del pastelero

Puede acompañar el postre con una salsa preparada al calentar en una olla 150 g de moras con 2 cucharadas de azúcar durante 5 ó 7 minutos.

Hojaldre dulce al chocolate

Ingredientes para 8 porciones

40 g de mantequilla
90 g de azúcar glass
2 huevos
1 cucharadita de extracto de vainilla
sal
210 g de harina blanca "00" o de primera calidad
4 cucharadas de leche
1 cucharada de malta

Para la crema

4 yemas
125 g de azúcar
50 g de harina blanca "00" o de primera calidad
1/2 litro de leche entera
180 g de chocolate semi amargo, picado

Preparación 20 minutos
Cocción 25 minutos
Grado de dificultad medio

Prepare la crema batiendo en un tazón con una batidora eléctrica las yemas con el azúcar; agregue la harina y bata hasta obtener una mezcla tersa. Hierva la leche y vierta en hilo delgado sobre la mezcla, revuelva. Coloque sobre el fuego, mezclando hasta que espese y vierta en un tazón. Incorpore el chocolate.

Trabaje la mantequilla con el azúcar. Agregue los huevos, la vainilla, un poco de sal y la harina. Amase hasta integrar, envuelva con plástico adherente y deje reposar en el refrigerador durante media hora.

Extienda la pasta finamente y corte 4 tiras de 4 x 20 cm. Rellene el centro con la crema al chocolate con ayuda de una manga para repostería y cierre uniendo los dos lados largos. Enrolle formando una rosa, barnice la pasta con la leche y la malta diluida sobre el fuego y hornee a 180°C (360°F). Sirva al gusto acompañando con crema inglesa.

Pastel girasol

Ingredientes para 6 porciones

4 huevos, separados
sal
160 g de azúcar
150 g de mantequilla
120 g de harina blanca "00" o de primera calidad
50 g de fécula de papa
1 cucharadita de polvo para hornear
45 g de cocoa en polvo sin azúcar

Para decorar

1 taza de mermelada de chabacano
330 g de chocolate semi amargo
20 ml de ron
2 confetis rojos
200 g de confetis cafés
8 flores tipo gerberas

Preparación 50 minutos
Cocción 45 minutos
Grado de dificultad medio

Bata las claras con un poco de sal a punto de nieve y bata el azúcar con la mantequilla. Agregue las yemas, la harina, la fécula, el polvo para hornear y la cocoa, revuelva; mezcle con las claras, usando movimiento envolvente. Vierta todo en un molde para pastel de 18 cm de diámetro. Hornee durante 45 minutos a 180°C (360°F) y deje enfriar.

Ponga el pastel sobre un disco de cartón un poco más pequeño que la base y coloque sobre una rejilla de alambre para postres y apoye todo sobre un plato ancho. Caliente la mermelada de chabacano en el horno de microondas o a baño María y unte una capa sobre el pastel.

Prepare la cubierta derritiendo 300 g de chocolate a baño María con el ron. Vierta sobre el pastel, haciendo gotear también sobre los lados. Deje endurecer durante algunos minutos.

Derrita el chocolate restante, ponga en una manga para repostería con duya lisa pequeña y dibuje catarinas sobre los confetis rojos. Ponga los confetis cafés sobre la superficie y añada las catarinas.

Antes de servir, elimine el tallo de las gerberas, corte a la mitad con ayuda de un cuchillo y colóquelas alrededor del pastel, fijándolas con palillos de madera.

Pastel relleno de zanahorias, nueces y queso

Ingredientes para 8 porciones ■

175 g de zanahorias, sin piel
5 huevos
150 g de azúcar
150 g de harina blanca "00" o de primera calidad, cernida
40 g de cocoa en polvo sin azúcar, cernida
50 g de nueces, toscamente picadas
3 cucharadas de aceite de girasol

Para la crema
350 g de queso mascarpone
175 g de azúcar glass
175 g de chocolate de leche, derretido

Preparación 30 minutos ■
Cocción 55 minutos ■
Grado de dificultad fácil ■

Ralle las zanahorias finamente. Engrase con mantequilla un molde para pastel de 20 cm de diámetro y forre con papel encerado para hornear. Bata los huevos con el azúcar y caliente a baño María, mezclando hasta integrar por completo y obtener una crema espesa.

Retire del fuego e integre a la crema preparada, la harina, la cocoa, las zanahorias, las nueces y el aceite. Vierta en el molde y hornee alrededor de 45 minutos a 180°C (360°F), hasta que el pastel se haya esponjado.

Mientras tanto, mezcle el queso mascarpone con el azúcar glass y agregue el chocolate derretido. Corte el pastel horizontalmente a la mitad y rellene con la mitad de la crema obtenida. Cierre y cubra con la crema restante formando rizos. Deje reposar durante 20 minutos en el refrigerador y sirva.

Tarta de chocolate Teresa

Ingredientes para 8 porciones

100 g de mantequilla
200 g de chocolate semi amargo
3 huevos, separados
100 g de azúcar
2 cucharadas de harina blanca "00" o de primera calidad
azúcar glass (opcional)

Preparación 30 minutos
Cocción 55 minutos
Grado de dificultad fácil

En una olla derrita la mantequilla con el chocolate a baño María y mezcle. En un tazón bata las yemas con el azúcar e incorpore la mezcla de chocolate derretido, teniendo cuidado de mezclar cuidadosa y lentamente.

Agregue la harina y las claras previamente batidas a punto de nieve, usando movimiento envolvente, hasta obtener una mezcla lisa y tersa.

Vierta la masa en un molde para pastel previamente engrasado con mantequilla y ligeramente enharinado; hornee a 180ºC (360ºF) alrededor de 50 minutos. Deje enfriar y sirva la tarta de chocolate Teresa espolvoreada, al gusto, con azúcar glass.

Consejo del pastelero

Puede hacer aún más sabrosa esta tarta acompañándola con crema batida o una mermelada de cítricos.

Pastel con cubierta de nuez

Ingredientes para 6 porciones ■

185 g de mantequilla
95 g de azúcar
2 huevos, batidos
185 g de harina blanca "00" o de primera calidad, cernida
1 cucharadita de polvo para hornear, cernido
sal
6 cucharadas de leche
100 g de nueces

Para el glaseado
120 g de chocolate de leche
15 g de mantequilla

Preparación 30 minutos ■
Cocción 40 minutos ■
Grado de dificultad medio ■

Usando una batidora eléctrica bata velozmente la mantequilla y el azúcar, agregue poco a poco los huevos batidos. Añada sucesivamente la harina y el polvo para hornear, una pizca de sal y la leche en hilo. Pique 60 g de nueces con ayuda de un cuchillo y agregue a la masa.

Vierta la mezcla en un molde para pastel previamente engrasado con mantequilla y ligeramente enharinado y hornee a 180ºC (360ºF) durante 35 minutos. Mientras tanto, derrita el chocolate con la mantequilla a baño María o en el microondas y deje entibiar, mezclando constantemente.

En cuanto el pastel esté listo, deje entibiar, desmolde y deje enfriar. Vierta el glaseado sobre el pastel, untando con ayuda de una espátula y decore con las nueces restantes, en hojuelas.

Consejo del pastelero

Puede rellenar el pastel con el mismo glaseado utilizado para la cubierta o preparada agregando crema batida.

Pastel de chabacano y piñones
con fondue de chocolate

Ingredientes para 6 porciones

100 g de piñones
250 g de mantequilla, a temperatura ambiente
250 g de azúcar
ralladura de 2 naranjas sin cera
3 huevos
310 g de harina blanca "00" o de primera calidad
3/4 cucharadita de polvo para hornear
200 g de chabacanos secos, picados
250 ml de jugo de naranja

Para decorar

100 g de chocolate semi amargo
5 cucharadas de crema para batir

Preparación 30 minutos
Cocción 85 minutos
Grado de dificultad fácil

Tueste los piñones durante varios minutos y pique toscamente. Bata la mantequilla con el azúcar y la ralladura de naranja. Agregue los huevos poco a poco, batiendo constantemente, e incorpore la harina y el polvo para hornear con ayuda de una cuchara de madera. Agregue los piñones, los chabacanos y el jugo de naranja.

Vierta en un molde para pastel forrado con papel encerado para hornear y engrasado con mantequilla y empareje la superficie con ayuda de una espátula. Hornee durante 1 hora 20 minutos a 175ºC (350ºF). Deje reposar durante 15 minutos antes de desmoldar. Derrita el chocolate con la crema y vierta, aún caliente, sobre las rebanadas de pastel y sirva.

Consejo del pastelero

Para no dejar "caer" los chabacanos en el fondo del pastel durante la cocción, enharine y coloque sobre una coladera para eliminar el exceso de harina.

Tarta con crema de ricotta
y chocolate con avellanas

Ingredientes para 8 porciones

300 g de harina blanca "00" o de primera calidad
200 g de mantequilla, fría
100 g de azúcar glass
1 yema de huevo
sal
ralladura de 1 limón amarillo sin cera

Para la crema

1 puño de uvas pasas
30 g de harina blanca "00" o de primera calidad
2 huevos
70 g de azúcar
400 g de queso ricotta fresco
canela en polvo
20 chocolates gianduiotti (con avellanas), en trozos pequeños

Para decorar

azúcar glass

Preparación 30 minutos
Cocción 35 minutos
Grado de dificultad fácil

Amase la harina con la mantequilla, el azúcar, la yema de huevo, una pizca de sal y la ralladura de limón. Cubra la pasta con plástico adherente y refrigere durante media hora. Extienda un poco más de la mitad de la pasta con ayuda de un rodillo y forre un molde para tarta, previamente engrasado con mantequilla.

Remoje las uvas pasas en agua tibia durante media hora, exprima y enharine. Usando una batidora eléctrica bata los huevos con el azúcar, hasta que estén esponjados y espumosos. Agregue el queso ricotta y una pizca de canela. Por último, integre a la crema obtenida las uvas pasas enharinadas y los chocolates, mezclando con ayuda de una cuchara de madera.

Usando un tenedor pique la pasta para tarta y vierta la mezcla sobre ella. Extienda la pasta restante hasta que esté delgada y ponga sobre la crema. Hornee entre 160 y 170°C (320 y 340°F) durante 35 minutos. Retire la tarta del horno, deje enfriar y desmolde delicadamente. Espolvoree con azúcar glass y sirva la tarta en rebanadas.

Delicia de chocolate y peras

Ingredientes para 8 porciones ■

165 g de harina blanca "00" o de primera calidad
30 g de azúcar
30 g de almendras sin piel, trituradas
3 ó 4 cucharaditas de agua
sal
125 g de mantequilla fría, partida en trozos

Para el relleno
4 ó 5 peras maduras
200 g de azúcar
90 g de mantequilla
45 g de cocoa en polvo sin azúcar
1 huevo
45 g de harina blanca "00" o de primera calidad
1 cucharadita de extracto de vainilla

Para decorar
azúcar glass

Preparación 30 minutos ■
Cocción 40 minutos ■
Grado de dificultad medio ■

En un tazón coloque la harina, el azúcar, las almendras, el agua y la sal; incorpore la mantequilla y amase hasta obtener una consistencia similar a migas de pan. Continúe trabajando primero con ayuda de un tenedor y después con sus manos. Envuelva en plástico adherente y refrigere durante 30 minutos. Extienda la pasta de tarta, forre con ella un molde para tarta y regrese al refrigerador.

Pele las peras, retire las semillas y divida en 4 partes. Usando un tenedor pique la masa y espolvoree con 2 cucharadas de azúcar. Acomode las peras sobre la masa, hornee durante 15 minutos y deje enfriar sobre una rejilla de alambre.

Mientras tanto, en una olla derrita la mantequilla y la cocoa, mezclando hasta integrar por completo. Bata el huevo con el azúcar restante, agregue la mezcla de mantequilla y cocoa y cierna la harina sobre la mezcla. Mezcle agregando la vainilla.

Vierta la mezcla sobre las peras y empareje con ayuda de una espátula. Hornee durante 15 minutos más y deje enfriar sobre una rejilla de alambre. Espolvoree el pastel con el azúcar glass y sirva.

Milhojas blanco y negro

Ingredientes para 6 porciones

3 yemas
150 g de azúcar
80 g de harina blanca "00" o de primera calidad, cernida
ralladura de 1 limón amarillo sin cera
1 cucharadita de extracto de vainilla
1/2 litro de leche
300 g de chocolate semi amargo
1 receta de pasta de hojaldre preparada para mil hojas
1/2 litro de crema fresca

Preparación 25 minutos
Cocción 20 minutos
Grado de dificultad fácil

Bata las yemas con 100 g de azúcar. Incorpore la harina, un poco de ralladura de limón, la vainilla y vierta la leche poco a poco. Cocine a fuego lento, mezclando hasta obtener una crema espesa y tersa. Deje enfriar.

Derrita el chocolate a baño María. En otra olla caliente 300 ml de crema y vierta a hilo sobre el chocolate derretido; mezcle hasta obtener una mezcla tersa. Bata la crema restante, incorporando los 50 g de azúcar restante.

Acomode en un plato de servicio una capa de milhojas y cubra con la crema pastelera; cubra con otra capa de milhojas y termine con la mezcla de chocolate. Decore al gusto con crema batida y sirva.

Consejo del pastelero

Si le sobra crema pastelera y mezcla de chocolate, puede utilizarlos para rellenar volovanes dulces.

Pastel a la crema de ricotta
y chocolate derretido

Ingredientes para 8 porciones

150 g de chocolate semi amargo
150 g de mantequilla, a temperatura ambiente
150 g de azúcar mascabado
sal
6 huevos, separados
150 g de harina blanca "00" o de primera calidad

Para la crema
200 g de queso ricotta
70 g de crema de avellanas
50 g de chocolate semi amargo
80 ml de crema fresca

Para decorar
cerezas en licor
chocolate semi amargo, rallado grueso

Preparación 40 minutos
Cocción 55 minutos
Grado de dificultad medio

Prepare la base de pastel esponja derritiendo el chocolate a baño María. Bata la mantequilla suavizada con el azúcar y un poco de sal. Agregue el chocolate derretido y las yemas, una a una, mezclando. Bata las claras a punto de nieve e incorpórelas delicadamente a la mezcla de yemas. Agregue la harina cernida y mezcle.

Forre un molde desmontable de 24 cm de diámetro con papel encerado para hornear y vierta la mezcla. Hornee a 160°C (320°F) durante 50 minutos.

Prepare la crema trabajando el queso ricotta desmoronado con la crema de avellanas; agregue luego el chocolate derretido y la crema batida.

Desmolde el pastel, corte en 4 discos y rellene con la crema, reservando 4 cucharadas para decorar. Rellene una manga para repostería con la crema restante y cubra la superficie con pequeños montoncitos. Decore el pastel con las cerezas deshuesadas y con el chocolate rallado. Refrigere durante 20 minutos y sirva.

Pastel al ron, chocolate y uvas pasas

Ingredientes para 8 porciones

140 g de uvas pasas
6 cucharadas de ron oscuro
185 g de harina blanca "00" o de primera calidad
140 g de azúcar
150 g de mantequilla, derretida
3 huevos, batidos
1/2 cucharadita de polvo para hornear
70 g de chispas de chocolate de leche o rallado en hojuelas finas

Remoje las uvas pasas en el ron durante 15 minutos. Haga una fuente con la harina en un recipiente, incorpore el azúcar y la mantequilla y mezcle. Exprima las uvas pasas y coloque sobre la harina junto con los huevos. Por último agregue el polvo para hornear y el chocolate, mezclando hasta obtener una mezcla tersa.

Vierta la mezcla en un molde forrado con papel encerado para hornear y hornee a 180°C (360° F) durante 40 minutos, verificando la cocción con un palillo de madera. Sirva el pastel frío, acompañado al gusto con crema inglesa.

Preparación 20 minutos
Cocción 50 minutos
Grado de dificultad fácil

Consejo del pastelero

Puede preparar la crema inglesa batiendo 5 yemas con 75 g de azúcar e incorporando posteriormente 250 ml de crema fresca hervida con 250 ml de leche y 1 vaina de vainilla. Cocine a baño María hasta obtener entre 82 y 85°C (180 y 185°F) y deje enfriar.

Corazon relleno de chocolate

Ingredientes para 6 porciones ■

80 g de chocolate semi amargo
150 g de mantequilla
2 cucharadas de agua
200 g de almendras sin piel
25 g de frollini
(galletas italianas tipo Marías)
2 huevos, separados
120 g de azúcar
1 cucharada de licor strega
sal
200 ml de crema fresca
2 cucharaditas de azúcar glass
1/2 cucharadita de
extracto de vainilla
cocoa en polvo sin azúcar

Preparación 30 minutos ■
Cocción 65 minutos ■
Grado de dificultad medio ■

Derrita el chocolate a baño María con 50 g de mantequilla y 2 cucharadas de agua, mezclando seguido. En un procesador de alimentos pique finamente las almendras con las galletas. En un tazón bata las yemas con el azúcar hasta obtener una mezcla espumosa.

Trabaje la mantequilla restante con una espátula e incorpore con las yemas. Agregue el chocolate derretido, las almendras y galletas trituradas y el strega. Por último agregue las claras batidas con una pizca de sal.

Engrase con mantequilla y enharine un molde con forma de corazón. Vierta la mezcla emparejando la superficie, hornee a 180°C (360°F) alrededor de una hora. Deje reposar el pastel sobre una rejilla para que se enfríe.

Bata la crema con el azúcar glass y la vainilla. Corte el corazón horizontalmente a la mitad y rellene con la crema. Espolvoree con cocoa en polvo, decore al gusto y refrigere hasta el momento de servir.

Consejo del pastelero

Si lo desea, puede sustituir las almendras por 150 g de avellanas sin piel y tostadas, pero aumentando la cantidad de chocolate (100 g) y de azúcar (3 cucharadas).

Pastel de almendras y chocolate

Ingredientes para 6 porciones ■

400 g de harina blanca "00" o de primera calidad, cernida
80 g de mantequilla, a temperatura ambiente
80 g de azúcar
1 cucharadita de extracto de vainilla
ralladura de 1 limón amarillo sin cera
vino blanco

Para el relleno
300 g de almendras sin piel
100 g de azúcar
2 huevos
100 g de chocolate semi amargo, picado

Preparación 30 minutos ■
Cocción 30 minutos ■
Grado de dificultad medio ■

Prepare la pasta para la base mezclando la harina con la mantequilla, el azúcar, la vainilla y la ralladura del limón. Agregue el vino blanco necesario para poder trabajar mejor la pasta y volverla más suave y tersa. Cubra la pasta con una toalla de cocina limpia y conserve en un lugar fresco, mientras prepare el relleno del pastel.

Pique las almendras finamente con ayuda de un procesador de alimentos y pase a un tazón con el azúcar, los huevos y el chocolate. Mezcle hasta integrar por completo.

Extienda aproximadamente 2/3 de la pasta sobre un molde antiadherente, cubra con el relleno, repartiéndolo uniformemente y cubra con la pasta restante cortada en tiras. Hornee alrededor de 30 minutos a 150°C (300°F). Una vez cocido, desmolde y deje enfriar, puede revestir el postre con un glaseado de azúcar o servirlo al natural, tibio o frío.

Pastel a la menta y chocolate

Ingredientes para 6 porciones

250 g de azúcar
100 g de mantequilla a temperatura ambiente
3 huevos
250 g de harina blanca "00" o de primera calidad
250 g de queso ricotta fresco
80 g de chispas de chocolate semi amargo
120 ml de licor de menta
sal
1 cucharadita de polvo para hornear

Para decorar

150 g de crema de cacao untable
50 g de almendras fileteadas

Preparación 25 minutos
Cocción 45 minutos
Grado de dificultad fácil

Mezcle el azúcar con la mantequilla hasta obtener una crema bastante suave; agregue los huevos, la harina, el queso ricotta y las chispas de chocolate; mezcle hasta integrar por completo. Por último incorpore el licor de menta, una pizca de sal y el polvo para hornear.

Coloque la mezcla preparada en el molde y hornee a 190°C (375ºF) alrededor de 45 minutos. Saque del horno y deje enfriar. Una vez frío, cubra el pastel con la crema de cacao y decore con las almendras.

Pastel glaseado de zanahoria,
coco y almendras

Ingredientes para 8 porciones

300 g de zanahorias
150 g de almendras
150 g de azúcar
150 g harina de coco
3 huevos
1 sobre (16 g) de polvo para hornear

Para decorar
200 g de chocolate de leche

Preparación 30 minutos
Cocción 50 minutos
Grado de dificultad fácil

Pele las zanahorias, triture en un procesador de alimentos y vierta en un recipiente. Pique finamente las almendras con el azúcar e incorpore a las zanahorias. Agregue la harina de coco, los huevos enteros y el polvo para hornear. Mezcle todo con una cuchara de madera.

Vierta en un molde de 24 cm de diámetro, hornee a 160°C (320°F) durante 10 minutos, suba la temperatura a 180°C (360°F) y hornee durante 40 minutos más. Deje enfriar el pastel antes de desmoldar.

Derrita el chocolate de leche a baño María y cubra el pastel emparejando bien la superficie. Deje que se solidifique el glaseado y sirva el pastel decorando al gusto con el coco.

Consejo del pastelero

Puede poner la mezcla, ya sea en un molde circular o en un molde para panqué.

Tarta con mousse al chocolate

Ingredientes para 8 porciones ■

60 g de avellanas sin piel
30 g de azúcar
165 g de harina blanca "00" o de primera calidad
125 g de mantequilla ligeramente salada, fría y partida en cuadros pequeños
1 huevo, batido

Para el mousse

125 g de chocolate gianduia (con avellanas), troceado
50 g de mantequilla
2 huevos
100 g de azúcar
2 cucharadas de harina blanca "00" de primera calidad, cernida
4 cucharadas de crema fresca
1 cucharada de brandy

Preparación 30 minutos ■
Cocción 30 minutos ■
Grado de dificultad medio ■

En un procesador de alimentos triture las avellanas con el azúcar y mezcle con la harina en un recipiente. Agregue la mantequilla y amase con sus manos hasta obtener una consistencia de migas. Incorpore el huevo con un poco de agua (suficiente para que la pasta esté lisa y suave); envuelva en plástico adherente y deje reposar en el refrigerador durante 30 minutos.

Extienda la pasta y forre un molde redondo para tarta previamente engrasado con mantequilla y enharinado; haga pequeños orificios en la base. Cubra con papel encerado y ponga pesos para repostería o semillas secas para que no se infle durante la cocción. Hornee a 180°C (360°F) en la parte inferior del horno entre 12 y 13 minutos.

En una olla sobre fuego lento derrita el chocolate y la mantequilla. Bata los huevos y el azúcar durante 10 minutos, hasta que la mezcla esté espumosa e incorpore la harina. Agregue el chocolate enfriado, la crema y el brandy. Vierta la mezcla en el interior de la base cocida en blanco ya desmoldada y hornee a 180°C (360°F) durante 15 minutos. Deje enfriar sobre una rejilla y sirva.

Pastel de chocolate al peperoncino

Ingredientes para 8 porciones

110 g de chocolate semi amargo con chile (o peperoncino)
110 g de mantequilla, a temperatura ambiente
110 g de azúcar mascabado
3 huevos, separados
2 cucharadas de ron añejo
60 g de harina blanca "00" o de primera calidad
60 g de galletas, desmoronadas
sal

Para decorar
crema batida

Preparación 20 minutos
Cocción 40 minutos
Grado de dificultad fácil

Pique el chocolate y derrita a baño María o en el microondas. En un tazón bata la mantequilla con el azúcar mascabado, hasta obtener una mezcla espumosa, brillante y bastante compacta. Añada las yemas, una a una, e integre con el chocolate derretido y el ron, mezclando hasta incorporar por completo.

Mezcle la harina con las galletas y agregue a la mezcla previamente obtenida. Bata las claras con una pizca de sal e incorpore con la mezcla poco a poco. Forre un molde desmontable con papel encerado para hornear y vierta la mezcla.

Hornee a 180°C (360°F) alrededor de 30 minutos. Deje enfriar el pastel y sirva frío, acompañando con crema batida o al gusto y decorando con peperoncino fresco.

Fondant de chocolate semi amargo

Ingredientes para 6 porciones ■

250 g de chocolate semi amargo (70% cacao)
200 g de mantequilla, cortada en trozos pequeños
100 g de azúcar glass, cernida
4 huevos

Preparación 15 minutos ■
Cocción 35 minutos ■
Grado de dificultad fácil ■

Precaliente el horno a 180°C (360°F). Despedace el chocolate en trozos grandes y derrita a baño María. Incorpore la mantequilla y continúe mezclando. Añada el azúcar glass, hasta obtener una crema lisa y tersa.

Incorpore los huevos, uno a uno, batiendo con ayuda de un batidor globo y vierta en un molde para panqué bien engrasado con mantequilla y enharinado. Hornee alrededor de 30 minutos en el horno y deje enfriar. Saque del horno y sirva de inmediato cortado en rebanadas.

Consejo del pastelero

Puede servir el fondant con una crema inglesa. Ponga a hervir 1/2 litro de leche aromatizada con ralladura de naranja. Incorpore luego 4 yemas mezcladas con 125 g de azúcar, haciendo que la mezcla hierva. Cuele la crema con un colador a un recipiente frío.

Tarta al pandoro
y chocolate con avellana

Ingredientes para 6 porciones ■

300 g de harina blanca "00" o de primera calidad
170 g de mantequilla, cortada en trozos pequeños
1 huevo + 1 yema
1 cucharada de extracto de vainilla
sal
150 g de azúcar

Para el relleno
120 g de chocolate gianduia (con avellanas), partido en trozos pequeños
60 ml de crema fresca
180 g de pandoro (o panettone o brioche)

Preparación 30 minutos ■
Cocción 25 minutos ■
Grado de dificultad fácil ■

Haga una fuente con la harina y ponga al centro la mantequilla, el huevo, la yema, la vainilla, un poco de sal y el azúcar. Comience a amasar con la yema de sus dedos, incorporando la harina poco a poco, luego trabaje velozmente la masa sobre una superficie plana hasta que esté homogénea. Envuelva en plástico adherente y deje reposar en el refrigerador por lo menos durante 40 minutos.

Mientras tanto, caliente el horno a 170°C (340ºF). Engrase con mantequilla y enharine un molde redondo. Extienda la masa y forre con ella el molde, pique el fondo con un tenedor. Ponga una hoja de papel encerado para hornear sobre la base y rellene con frijoles u otras leguminosas secas para que la pasta no se infle. Hornee alrededor de 20 minutos; la masa deberá estar cocida pero no demasiado seca. Retire del horno y deje enfriar.

Derrita el chocolate en el microondas o a baño María y deje entibiar. Bata la crema a punto de nieve e incorpore al chocolate; agregue el pandoro desmoronado y rellene la pasta para tarta con esta mezcla de manera que se integre. Corte en rebanadas y sirva.

SACHER

Pastel Sacher

Ingredientes para 8 porciones ■

200 g de chocolate semi amargo
8 yemas
100 g de mantequilla
1/2 cucharadita de esencia de vainilla
150 g de azúcar glass
10 claras de huevo
sal
120 g de harina blanca "00" o de primera calidad
1/2 cucharadita (8 g) de polvo para hornear

Para el relleno
1/2 taza de mermelada de chabacano

Para el glaseado
90 g de chocolate semi amargo
1 taza de crema
150 g de azúcar glass

Preparación 30 minutos ■
Cocción 45 minutos ■
Grado de dificultad medio ■

Trocee el chocolate y derrita a baño María. Bata las yemas y agregue al chocolate derretido aún tibio. Incorpore la mantequilla, la vainilla y el azúcar.

Bata las claras de huevo con una pizca de sal a punto de turrón y vierta 1/3 en la crema de chocolate, usando movimiento envolvente. Incorpore la harina, la mezcla restante de las claras y el polvo para hornear.

Prepare 2 moldes para pastel de aproximadamente 22 cm de diámetro engrasando con mantequilla y enharinando. Vierta la mitad de la mezcla en cada uno; hornee a 170°C (340°F) durante 35 minutos. Deje enfriar los pasteles y sobrepóngalos untando la unión con una capa de mermelada de chabacano.

Prepare el glaseado calentando el chocolate y la crema a fuego lento durante 5 minutos e incorpore el azúcar glass. Para verificar el grado de consistencia, sumerja una cucharadita en una taza de agua fría: si se densifica, el glaseado está listo para cubrir el pastel. Deje el pastel en el refrigerador por lo menos durante 3 horas antes de servirlo cortado en rebanadas.

Pastel con círculos de colores

Ingredientes para 6 porciones ■

320 g de azúcar
300 g de mantequilla
240 g de harina blanca "00" o de primera calidad
100 g de fécula de papa
90 g de cocoa en polvo sin azúcar
28 g de polvo para hornear
6 huevos
sal

Para la decoración
1/2 taza de mermelada de chabacano, colada
750 g de chocolate blanco
50 g de chocolate semi amargo
50 g de chocolate de leche
colorantes artificiales para alimentos rojo, azul y amarillo

Preparación 60 minutos ■
Cocción 60 minutos ■
Grado de dificultad medio ■

Prepare la base del pastel siguiendo la receta de la página 84 y caliente la mermelada de chabacano en el microondas o a baño María; unte una capa sobre toda la superficie. Derrita a baño María 500 g de chocolate blanco (agregando al gusto 25 ml de ron) y vierta sobre el pastel; deje que se absorba y pase el pastel a un platón de servicio.

Prepare los círculos de chocolate con un poco de anticipación formando 7 conos de papel encerado para usar como mangas para repostería. Ponga los tres tipos de chocolate en diferentes ollas y derrita a baño María o en el microondas. Rellene dos de los conos con chocolate de leche, corte la punta y forme gotas grandes sobre una hoja de acetato, dejando cierta distancia entre ellas.

Divida el chocolate blanco en cinco tazones (reserve un poco) y coloree de rojo, azul, amarillo, rosa y verde (mezclando el amarillo y el azul). Rellene tantos conos como colores haya, corte la punta y deje caer las gotas sobre el acetato; deje que se solidifiquen en el refrigerador. Fije los círculos sobre el pastel con algunas gotas del chocolate blanco que había reservado.

Tronco navideño con crema de castanas

Ingredientes para 6 porciones

400 g de castañas sin piel
700 ml de leche
50 g de azúcar
200 ml de crema para batir
1 base de pastel esponja para niño envuelto (página 24)
40 g de chocolate semi amargo

Para el glaseado
100 g de chocolate semi amargo
120 ml de crema para batir

Preparación 30 minutos
Cocción 40 minutos
Grado de dificultad medio

Cueza las castañas con la leche y el azúcar a fuego bajísimo alrededor de 25 minutos. Licue y deje enfriar. Bata la crema, incorpore a las castañas y meta al refrigerador.

Coloque el pastel esponja sobre una hoja de papel encerado para hornear. Unte con la crema de castañas fría y ralle el chocolate semi amargo. Enrolle la base de pastel esponja sobre sí mismo y meta al refrigerador para que se integre.

Mientras tanto, prepare el glaseado derritiendo el chocolate con la crema; deje entibiar. Saque el rollo del refrigerador y vierta el glaseado sobre él, emparejándolo con ayuda de una espátula para hacer que caiga bien sobre los bordes. Refrigere hasta el momento de servir.

Disco de zarzamoras
en salsa de chocolate

Ingredientes para 4 porciones

250 g de zarzamoras
2 cucharadas de azúcar
150 ml de agua
4 discos de pastel esponja (de aproximadamente 2 cm de grosor) (página 24)
150 g de queso mascarpone
150 g de queso ricotta
ralladura de 1 limón amarillo sin cera
2 cucharadas de azúcar glass a la vainilla
60 ml de crema batida

Para la salsa

100 g de chocolate de leche
60 ml de crema para batir

Preparación 25 minutos
Cocción 15 minutos
Grado de dificultad fácil

Lave las zarzamoras y reserve 20 para decorar. Ponga las demás en una olla pequeña con el azúcar y el agua; lleve a ebullición y deje cocer durante 8 minutos. Licue la mezcla y unte los discos de pastel esponja colocados sobre un refractario.

Acreme el queso mascarpone con el queso ricotta, la ralladura del limón, el azúcar glass e incorpore la crema batida a punto de nieve. Rellene una manga para repostería con la crema de ricotta y mascarpone y rellene los discos cortados a la mitad. Cubra con las moras frescas restantes y sirva colocando en el plato un espejo de la salsa obtenida al derretir el chocolate con la crema.

Consejo del pastelero

En la preparación del disco, en vez del pastel esponja hecho en casa puede utilizar pan brioche.

Pastel en tecnicolor

Ingredientes para 6 porciones

1 base de pastel esponja
250 ml de crema fresca, batida
125 g de crema de chocolate untable

Para la decoración
1/2 taza de mermelada de chabacano colada
700 g de pasta de azúcar (de la cual 300 g para pintar)
colorante artificial en gel hidrosoluble amarillo, azul, naranja, rojo, rosa y marrón
azúcar glass

Preparación 50 minutos
Cocción 10 minutos
Grado de dificultad medio

Dé forma cuadrada al pastel esponja (para prepararlo en casa siga la receta de la página 24, calculando el rendimiento), corte a la mitad en sentido horizontal y rellene con la crema mezclada con la crema de chocolate.

Caliente la mermelada de chabacano a baño María y unte una capa sobre el pastel, colocado sobre un platón de servicio. Extienda 400 g de pasta de azúcar blanca sobre una superficie de trabajo espolvoreada con azúcar glass, hasta obtener un espesor de 3 ó 4 mm y una longitud que pueda cubrir también los bordes. Enrolle la pasta sobre el rodillo y coloque sobre el pastel. Usando un cuchillo pequeño y afilado recorte el exceso de pasta.

Divida la pasta de azúcar restante en tantas partes como colores quiera usar y coloree. Extienda la pasta coloreada, una a la vez, y obtenga muchas tiras regulares; humedezca ligeramente el pastel blanco y, empezando desde el borde posterior, sobreponga las tiras coloreadas hasta cubrir la superficie superior y dos de los lados, alternando los colores. Elimine el exceso de pasta con ayuda de un cuchillo pequeño y afilado. Complete cubriendo de líneas de colores también a los dos lados que han quedado libres.

Índice

A
Azulejo de choco-coco, 82

C
Corazón relleno de chocolate, 98
Crostata de chocolate y almendras, 60
Cúpula de chocolate, 74

D
■ Decoración con hoja de acetato y cortador extensible, 44
■ Decoración con hojas, 47
■ Decoración con moldes de policarbonato, 42
■ Decoración con números y letras, 46
■ Decoración con placa de plexiglás, 43
■ Decoración con plástico burbujas, 45
Delicia de chocolate y peras, 92
Disco de zarzamoras en salsa de chocolate, 115

F
Fondant de chocolate semi amargo, 107

G
■ Ganache para base de pasta quebrada, 20

H
■ Harina de almendras, 14
Hojaldre dulce al chocolate, 83

M
■ Masa para pasta quebrada, 16
Milhojas blanco y negro, 95

P
Pan con especias, 64
■ Pastel esponja, 24
■ Pasta de hojaldre, 28
Pastel con cubierta blanca, 81
■ Pastel de cocoa, 30
Pastel de almendras y chocolate, 101
Pastel de avellanas al capuchino, 55
Pastel de círculos de colores, 112
Pastel a la cocoa, higos y frutas cristalizadas con salsa de chocolate blanco, 59
Pastel a la canela glaseado con chocolate de leche, 73
Pastel de chabacano y piñones con fondue de chocolate, 90
Pastel de chocolate al peperoncino, 106
Pastel de chocolate con mermelada de durazno, 68

Pastel a la crema de ricotta
y chocolate derretido, 96
Pastel a la menta y chocolate, 102
Pastel con cubierta de nuez, 89
Pastel de pan y chocolate, 67
Pastel al ron, chocolate y uvas pasas, 97
Pastel de zanahoria, chocolate y coco, 63
Pastel delicia de chocolate, 71
Pastel de chocolate y almendras, 54
Pastel en tecnicolor, 117
Pastel girasol, 84
Pastel glaseado de zanahoria
y pistaches, 77
Pastel glaseado de zanahoria,
coco y almendras, 103
Pastel relleno de zanahorias,
nueces y queso, 86
Pastel Sacher, 111
Pastel suave de cítricos y
chocolate de leche, 56
Pastel suave de manzanas y
gotas de chocolate, 69
Pastel suave de peras y cocoa, 61
Pavé al chocolate de leche y almendras, 79

R

Rosca marmoleada, 52
Rosca de chocolate y avellanas, 78

T

Tarta al pandoro y chocolate con avellana, 108
Tarta con mousse al chocolate, 104
Tarta de almendras y chocolate, 62
Tarta de chocolate Teresa, 87
Tarta con crema de ricotta y
chocolate con avellanas, 91
Tarta al rompope con chocolate
de leche y fresas asadas, 72
■ Temperado en microondas, 36
■ Temperado por inseminación, 38
■ Temperado sobre mármol, 40
Tronco navideño con crema de castañas, 114

Nota: las recetas marcadas con viñetas
indican la preparación de bases.

Fabricado e impreso en Italia en Febrero 2011 por /
Manufactured and printed in Italy on February 2011 by:
Reggiani S.p.A.
Via C. Rovera, 40 - 21026 Gavirate – Italy

BLACK
PANTHER

BLACK PANTHER

Writer/**Ta-Nehisi Coates**

#166-167

Penciler/**Leonard Kirk**
Inkers/**Marc Deering with Leonard Kirk (#166)**
Color Artists/**Laura Martin with Matt Milla (#167)**
Cover Art/**Brian Stelfreeze with Laura Martin (#167)**

#168

Penciler/**Chris Sprouse**
Inkers: **Karl Story with Walden Wong**
Color Artists/**Matt Milla with Chris Sotomayor**
Cover Art/**Brian Stelfreeze**

#169-172

Penciler/**Leonard Kirk**
Inkers/**Leonard Kirk with Marc Deering (#172) & Walden Wong (#172)**
Color Artists/**Laura Martin with Matt Milla (#172)**
Cover Art/**Brian Stelfreeze & Laura Martin (#169, #171); Phil Noto (#170); and Chris Sprouse, Karl Story & Matt Milla (#172)**

Just as Wakanda is transitioning into a constitutional monarchy, something from its ancient past now threatens to upend everything.

The gods of Wakanda — the Orisha — have gone missing. And in their absence, mystical portals have been releasing deadly creatures. Claiming the Orisha are dead, a Wakandan named Ras the Exhorter is leading the people to worship a new god called Sefako. T'Challa and Shuri hunted down a group of the creatures only to discover that the portal was no portal at all, but rather a device that created holograms of the creatures — using sound instead of light.

Meanwhile, Midnight Angels Aneka and Ayo tracked Asira, an old friend of T'Challa's who was kidnapped by the Fenris twins, to the nearby hostile country of Azania. They walked straight into a trap.

Now the Angels are in the hands of Klaw, Wakanda's bitterest foe. And he's not alone: Ezekiel Stane, Doctor Faustus, Zenzi and Ras the Exhorter stand at the madman's side...

AVENGERS OF THE NEW WORLD PART TWO

Letterer/**VC's Joe Sabino**
Logo Design/**Rian Hughes**
Associate Editor/**Sarah Brunstad**
Editor/**Wil Moss**

BLACK PANTHER CREATED BY **STAN LEE** & **JACK KIRBY**

COLLECTION EDITOR/**JENNIFER GRÜNWALD**
ASSISTANT EDITOR/**CAITLIN O'CONNELL**
ASSOCIATE MANAGING EDITOR/**KATERI WOODY**
EDITOR, SPECIAL PROJECTS/**MARK D. BEAZLEY**
VP PRODUCTION & SPECIAL PROJECTS/**JEFF YOUNGQUIST**
SVP PRINT, SALES & MARKETING/**DAVID GABRIEL**
BOOK DESIGNERS/**JAY BOWEN** & **MANNY MEDEROS**

EDITOR IN CHIEF/**C.B. CEBULSKI**
CHIEF CREATIVE OFFICER/**JOE QUESADA**
PRESIDENT/**DAN BUCKLEY**
EXECUTIVE PRODUCER/**ALAN FINE**

BLACK PANTHER BOOK 5: AVENGERS OF THE NEW WORLD PART 2. Contains material originally published in magazine form as BLACK PANTHER #166-172. First printing 2018. ISBN 978-1-302-90988-8. Published by MARVEL WORLDWIDE, INC., a subsidiary of MARVEL ENTERTAINMENT, LLC. OFFICE OF PUBLICATION: 135 West 50th Street, New York, NY 10020. **Printed in the U.S.A.** DAN BUCKLEY, President, Marvel Entertainment; JOHN NEE, Publisher; JOE QUESADA, Chief Creative Officer; TOM BREVOORT, SVP of Publishing; DAVID BOGART, SVP of Business Affairs & Operations, Publishing & Partnership; DAVID GABRIEL, SVP of Sales & Marketing, Publishing; JEFF YOUNGQUIST, VP of Production & Special Projects; DAN CARR, Executive Director of Publishing Technology; ALEX MORALES, Director of Publishing Operations; SUSAN CRESPI, Production Manager; STAN LEE, Chairman Emeritus. For information regarding advertising in Marvel Comics or on Marvel.com, please contact Vit DeBellis, Custom Solutions & Integrated Advertising Manager, at vdebellis@marvel.com. For Marvel subscription inquiries, please call 888-511-5480. **Manufactured between 3/23/2018 and 4/24/2018 by LSC COMMUNICATIONS INC., KENDALLVILLE, IN, USA.**

0 9 8 7 6 5 4 3 2 1

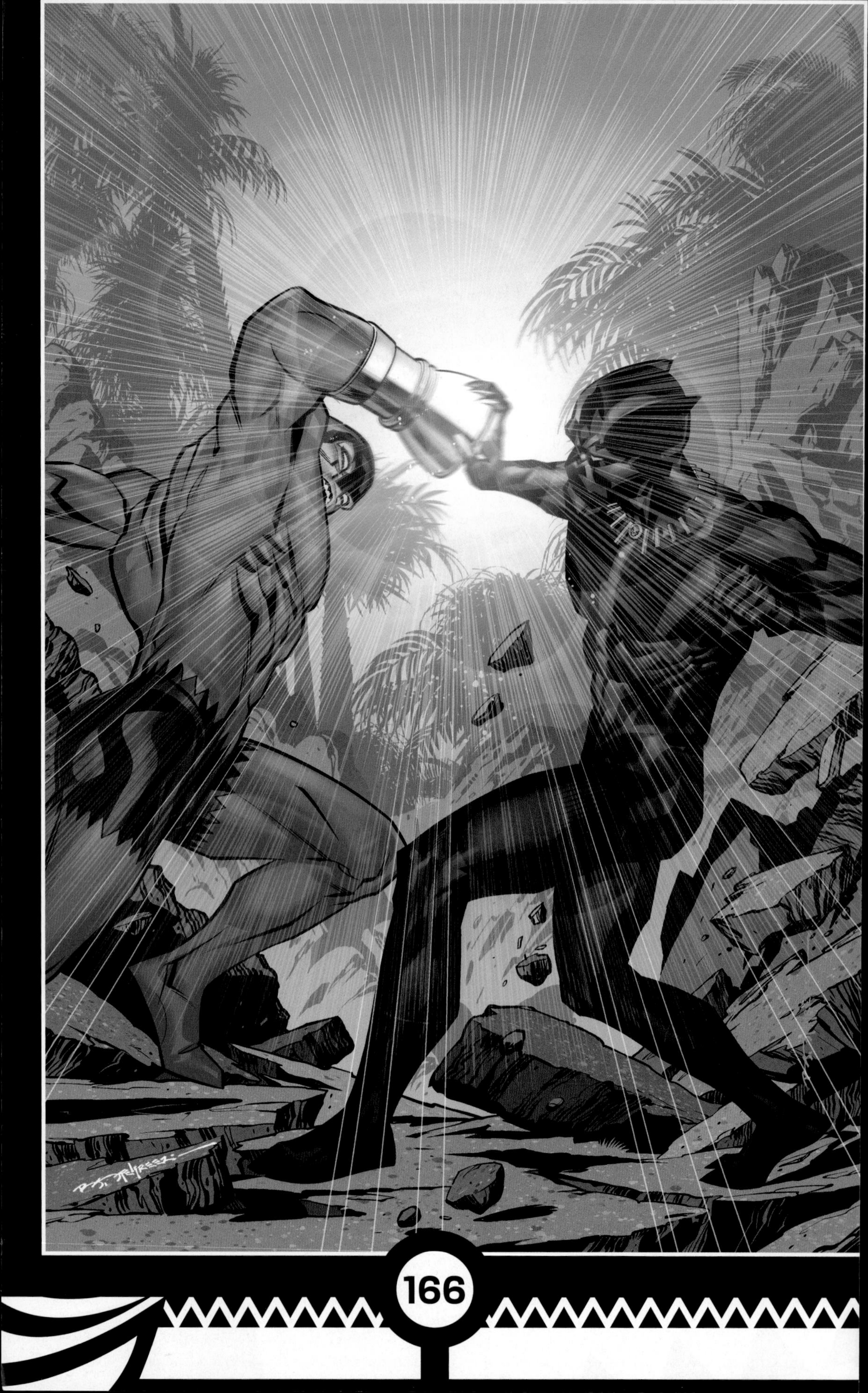

NTWERP LUNATIC ASYLUM,
HEN

JULIA.

NOT A DAY PASSES WITHOUT ME THINKING OF WHAT THEY DID TO YOU.

T A DAY GOES
WITHOUT ME
EEING YOU IN
HAT GARDEN.

WITH THE VOICES CUT OUT OF YOUR HEAD.

THE ALASKA RANGE, SECRET A.I.M. FACILITY, NOW
THOSE MONSTERS WHO PUT YOU IN A CAGE, JULIA, THEY *FEARED* YOU.
THEY FEARED THE *VOICES*.
PERHAPS TH
SHOULD HAV

REVERBIUM VAUL
YOU TOLD THEM THAT THE VOICES WERE WARNINGS OF THE UNSEEN.

THE REPROACH OF THE GODS.

KNOW NOW AT YOU WERE GHT, SISTER.

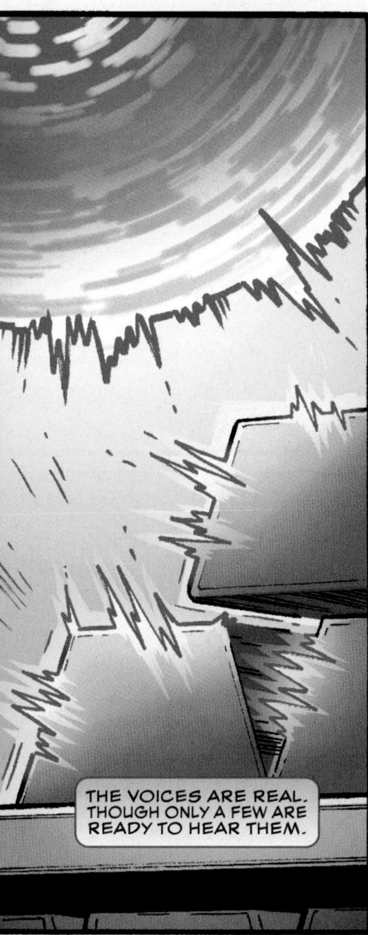
THE VOICES ARE REAL. THOUGH ONLY A FEW ARE READY TO HEAR THEM.

FOR WEEKS NOW, I HAVE BEEN THAT PARTICULAR VOICE.

I HAVE SPOKEN IN A FREQUENCY THAT ONLY THE CHOSEN COULD HEAR.
MY SUGGESTION, MY VOICE, HAS NOW BLOOMED IN THEIR HEADS.
TELLING THEM WHAT THEY MUST DO, WHAT THEY MUST GIVE...

ND NOW I HAVE VEN THEM WHAT AS PROMISED.
AND SENT EM TO THEIR REWARD.
T IS THE OUND OF MIRACLE.
VOICE A GOD.
THE REPROACH OF KLAW.

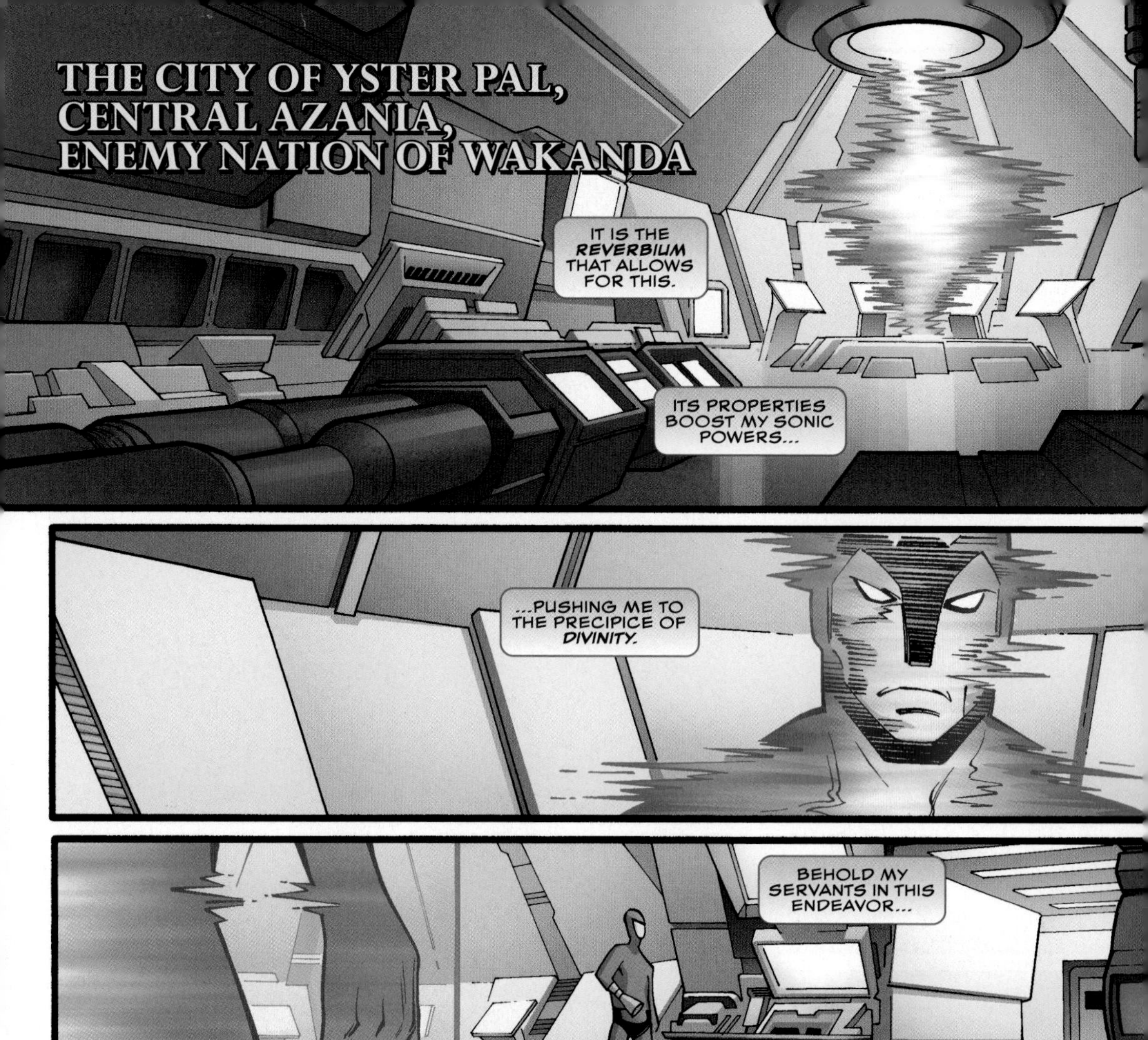
THE CITY OF YSTER PAL, CENTRAL AZANIA, ENEMY NATION OF WAKANDA
IT IS THE REVERBIUM THAT ALLOWS FOR THIS.
ITS PROPERTIES BOOST MY SONIC POWERS...

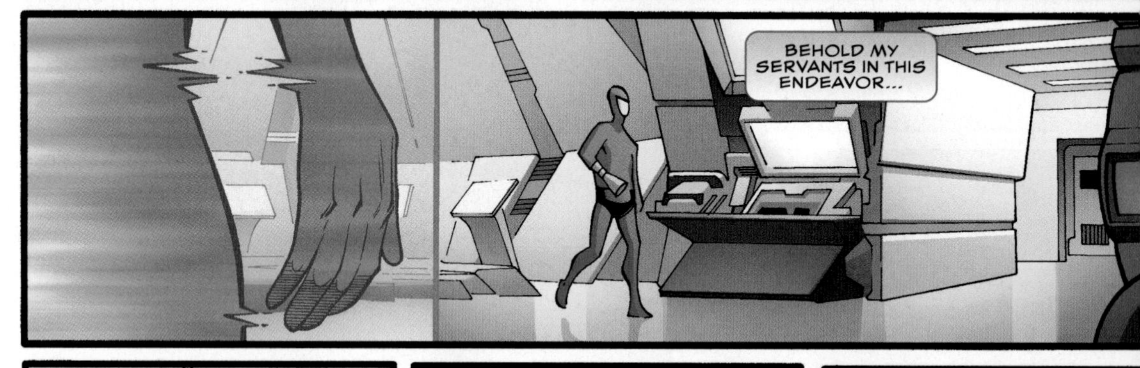
...PUSHING ME TO THE PRECIPICE OF DIVINITY.

BEHOLD MY SERVANTS IN THIS ENDEAVOR...

ZEKE STANE AND SASHA HAMMER--BOTH USEFUL IN MIND, BUT SMALL IN VISION.

FAUSTUS, A TRICKSTER WHOSE OWN VOICE ENSLAVES THE MIND.

AND ZENZI THE REVEALER, WH
CLAIMS TO BE A LIBERATOR O
HEARTS. BUT I HAVE PEERED IN
HER HEART, AND FOUND NOTHIN
I WOULD FEAR HER, IF TH
WERE STILL POSSIBLE.

BUT I GAVE UP ALL THAT LONG AGO, JULIA.

GAVE UP MY VERY BODY.

AND BECAME THE VOICE THAT WHISPERS IN THE NIGHT, TELLING MEN WHAT THEY MUST DO.*
FOR MORE ON KLAW'S ORIGIN, HECK OUT FANTASTIC FOUR #53 N MARVEL UNLIMITED! --WIL

ONLY NOW HAVE I COME TO UNDERSTAND THE FULL REACH OF MY POWERS.

I WILL BE HONEST AND TELL YOU THAT I AM STRUGGLING TO CONTAIN IT ALL.

THERE IS NO MANUAL FOR THE ASPIRING GOD.
AND SO I MUST SETTLE FOR SCIENCE.
STANE'S INVENTION-- *THE HAND OF CALLIOPE*-- FOCUSES MY POWER. FOCUSES ME.
SO THAT I AM NOT DISPERSED AMONG AN OBLIVION OF INFINITE VOICES.
THE REVERBIUM HELPS, BUT IT IS STILL JUST A MAN-MADE REPLICATION OF THAT WHICH I TRULY NEED--
--THE VERY BLOOD OF WAKANDA ITSELF. *VIBRANIUM.*

THE VOICES HAVE TOLD ME THIS, JUST AS THEY ONCE TOLD YOU SUCH THINGS.
FATHER DID NOT UNDERSTAND.
HE WAS A MAN OF MEAN VISION AND ABUNDANT WRATH.

MOTHER WAS TOO TIMID TO OPPOSE HIM.

BUT NOT YOU.

I COULD NOT SAVE YOU FROM HIS SMALL MIND.

AND NOT A DAY GOES BY WITHOUT ME REMEMBERING MY WEAKNESS.

WITHOUT REMEMBERING THAT I *LET* THEM CUT THE VOICES OUT OF YOUR HEAD.

BUT I AM GOING TO MAKE IT *RIGHT*, I SWEAR TO YOU, JULIA.
NO MATTER THE PRICE.

UTHERN AZANIA,
BEL CAMP
THAT IS WHY I HAVE COME TO *AZANIA*--THE LAST COUNTRY WHERE THOSE *FIT BY NATURE REIGN.*
OF COURSE THE SERFDOM IS STUBBORN HERE, AS THEY ARE EVERYWHERE.
MY ANCIENT ENEMY, WAKANDA, IS SUBSIDIZING A REBELLION AMONG THEM.

THINK YOU WOULD VE FELT SYMPATHY OR THEM, JULIA.

YOU WERE ALWAYS SO CARING.

YOU WERE ALWAYS SO SOFT.

YOUR GENTLE NATURE FOUND NO QUARTER IN THIS WORLD.

WHERE THE LORDS ARE OVERRUN.

WHERE PEONS MURDER THEIR MASTERS...

...AND DRINK IN THEIR BLOOD.

THERE MUST BE SOME VOICE FOR JUSTICE, JULIA.

N SAY THE GODS
AVE FORSAKEN
HIS CONTINENT.

THEN LET
NEW GODS
ARISE.

AND LET TH
VOICE BE
GREAT FEA

YOU WERE MUCH TOO SOFT FOR THIS WORLD, JULIA.

IT WAS NOT YOUR FAULT.

IT WAS JUST YOUR NATURE.

I WANT YOU TO KNOW THAT THERE IS NO CARING LEFT IN ME.
NO SOFTNESS.
NONE...
CLICK
...SAVE YOUR VOICE.

I WANT TO TELL YOU THAT I ALWAYS BELIEVED IN YOU.

THAT I BELIEVED IN THE VOICES WHEN OTHERS DID NOT.

AND THAT THE DAY THEY CARVED THE VOICES OUT OF YOUR HEAD...

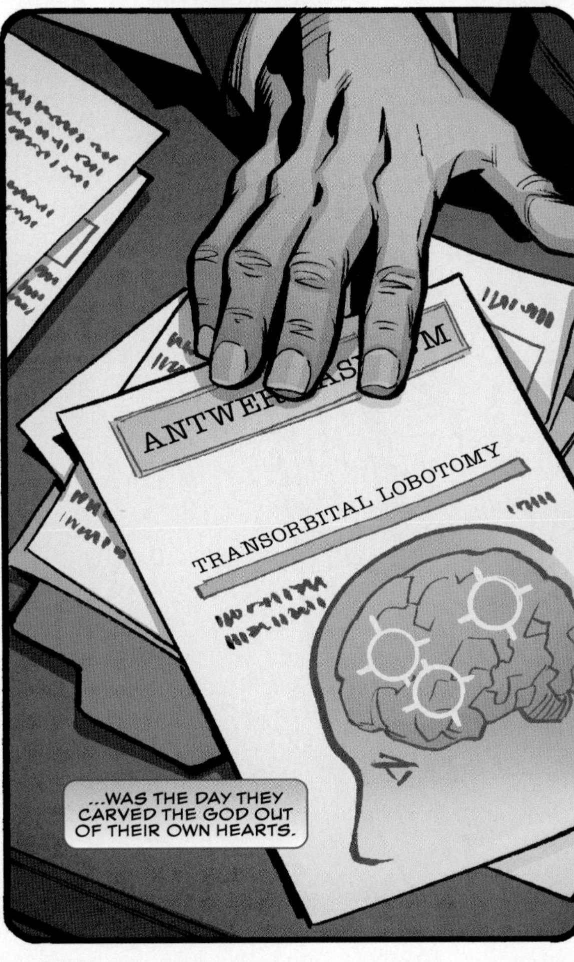
TRANSORBITAL LOBOTOMY
...WAS THE DAY THEY CARVED THE GOD OUT OF THEIR OWN HEARTS.

I HAVE SEARCHED THE SOUNDSCAPES OF TIME, LISTENED TO THE HARMONY OF YEARS.
ALL TIME-SPACE IS BUT A SYMPHONY TO ME.
I WAS NOT SEARCHING FOR POWER, JULIA.
I WAS SEARCHING FOR *YOU*.

HE WAKANDA/
ZANIA BORDER
NOW I AM THE VOICE, ECHOING THROUGH THE HEATHEN HILLS OF KINAMASI.
NOW I PREPARE TO DRINK IN VIBRANIUM, THE BLOOD OF THIS WAKANDA.
TO ASCEND AND TAKE ON MY NEW NAME.
DO YOU KNOW WHAT THESE DEGRADED ONES CALL ME, JULIA?
REPAIR
CAFE

THEY CALL
ME GOD.

THE CELLAR, CORRECTIONAL FACILITY FOR AUGMENTED FELONS
FWAASSSHHH
DR. FRANKLIN, I PRESUME.

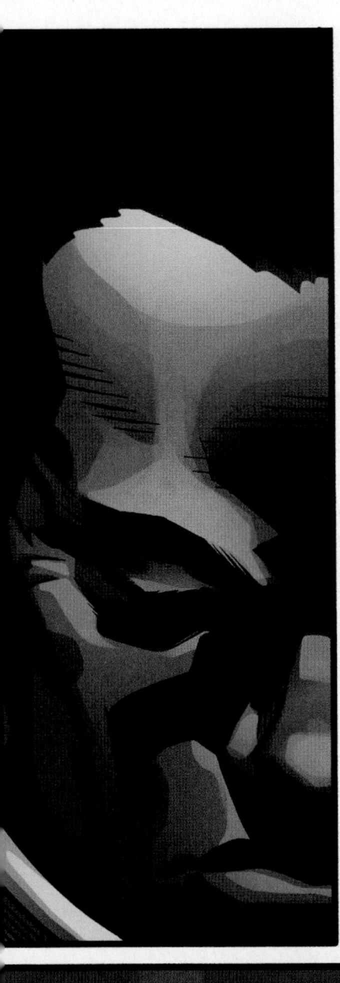

SELF-PITY? THAT WILL NOT DO.
YOU MUST KNOW THIS, BECAUSE YOU MUST KNOW ME. AND IF NOT ME, THEN YOU MUST KNOW WHAT I REPRESENT.

THE PANTHER.
YES. THE PANTHER. THERE WAS AN AGREEMENT, WAS THERE NOT?*
*SEE BLACK PANTHER #16. -WIL

SHUN INIQUITY. MAKE PENANCE. WAIT FOR THE PANTHER'S SIGN.
WHAT HAPPENED, DR. FRANKLIN?
I FELL BACK. I THOUGHT I WAS OUT OF THE HOLE, AND I FELL RIGHT BACK.

YOU'D BE SURPRISED HOW EASY IT IS TO FALL BACK.

NO, DR. FRANKLIN, I WOULD NOT BE SURPRISED AT ALL.
ONCE, I AWOKE IN ILL DISPOSITION. SO I BURNED ATLANTIS AND MADE GARDENING OF THE ASHES.
I KNOW THE LURE OF GREAT POWER. BUT MORE, I KNOW THE PRICE O DIVORCING POWER FROM DISCIPLINE.
YOU THINK THAT GARB, THAT NAME--*THUNDERBALL*--MAKES YOU POWERFUL? MAKES YOU FREE?
LOOK AT YOU NOW.
POWER WITHOUT DISCIPLINE IS NOT POWER AT ALL.
IT IS SLAVERY.
AND THAT IS WHAT YOU ARE, DR. FRANKLIN--A SLAVE.
YOU DO NOT YET UNDERSTAND THIS.
BUT YOU WILL.
CLACK-CLACK-CLACK-CLAC

FOR NOW, THE PANTHER, IT SEEMS, HAS NEED OF YOU. WHICH MEANS WAKANDA HAS NEED OF YOU.

WHICH MEANS THE WORLD HAS NEED OF YOU.

TH-THANK YOU.
DO NOT THANK ME. THE GRATITUDE OF SLAVES IS NOXIOUS TO ME.

KNOW THAT THESE MEN HAVE REMANDED YOU TO OUR CUSTODY.

BUT MORE, KNOW THAT WE ARE ESS DELICATE THAN THEY.

FALL BACK AGAIN, AND WE WILL NOT MAKE YOU INTO A SLAVE...

"...WE WILL MAKE YOU INTO GARDENING."

AIFA NGAO,
RNIN ZANA
LIKE SEEMINGLY EVERY AMERICAN AGEDY, DR. FRANKLIN, HIS ONE BEGINS IN IMITATION.
THIS WOMAN, SAJANI JAFFREY, ATTEMPTED TO MANUFACTURE A FACSIMILE OF VIBRANIUM...*
SAJANI JAFFREY
*SEE AMAZING SPIDER-MAN #648. -WIL

...WITH PREDICTABLE RESULTS.

"THE LESSON WAS OBVIOUS BUT ILL-RECEIVED.
"MONTHS AGO, ANOTHER FACTION TRIED AGAIN, CREATING MORE OF THIS SO-CALLED REVERBIUM.

"I WOULD ADMIRE THIS PERSISTENCE, WERE IT NOT SO DESTRUCTIVE."

BUT IF THE ENDS OF THIS SECOND ATTEMPT WERE THE SAME...

...THE MEANS WERE DIFFERENT.
KLAW!
YES, KLAW. MY OLD ENEMY. AND YOUR OLD COMRADE.
HIS ROLE IN THIS LAST DISASTER IS ALARMING ENOUGH.
BUT THERE IS EVIDENCE THAT HE IS CONSPIRING WITH OUR WICKED NEIGHBOR-- AZANIA.
YEAH. THE FENRIS TWINS WERE WORKING WITH THEM, TOO. THIS STILL ABOUT THE GIRL?
ASIRA. YES, I BELIEVE IT IS. AND MUCH MORE.

HE PROBLEM, ET AGAIN, IS IMITATION.
"WAKANDA IS, RIGHT NOW, IN THE MIDST OF A VERY REAL TRANSDIMENSIONAL CRISIS."
"AND LET ME GUESS: KLAW WANTS A PIECE OF THE ACTION."
I'VE SEEN HIM CREATE BASIC CONSTRUCTS LIKE THESE...
THE NEW ONES ARE MORE SOPHISTICATED.
AND MODELED AFTER THE VERY CREATURES WHO HAVE BROUGHT ON OUR CRISIS.
AND SO THE QUESTION IS, "WHY?"
YOU SUSPECT A LINK BETWEEN KLAW, THIS "CRISIS" AND THE REVERBIUM, DON'T YOU?
I DO.
CERTAIN SUBSONIC ENERGY SIGNATURES WERE DETECTED AT THAT REVERBIUM LAB AND THEN HERE IN WAKANDA.
GOT IT. YOU NEED A DECENT PHYSICIST TO EXAMINE THE SIGNATURES.
CANAAN
AZANIA
NIGANDA

BUT...YOU'RE ONE OF THE MOST BRILLIANT PHYSICISTS IN THE WORLD. WHY WOULD YOU NEED *ME*?
I MENTIONED TWO PHENOMENA.
YOUR KNOWLEDGE QUALIFIES YOU TO ANALYZE THE FIRST. BUT MY OFFICE DEMANDS I ATTEND TO THE SECOND.

SCIENCE IS WHAT I LOVE, DR. FRANKLIN--BUT A KING IS WHAT I *AM*.

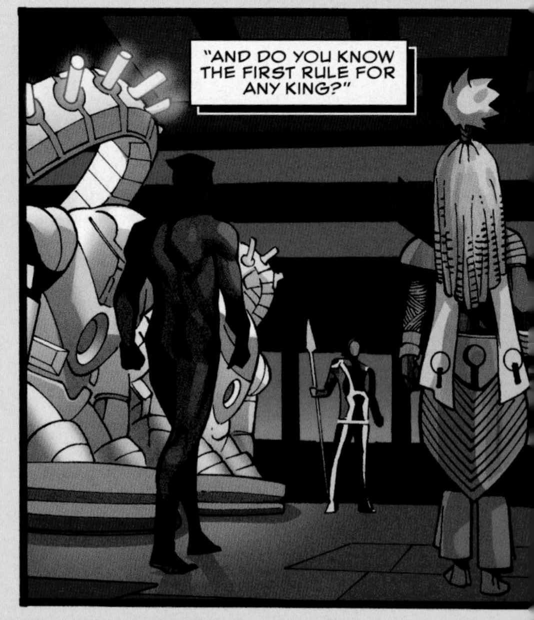

"AND DO YOU KNOW THE FIRST RULE FOR ANY KING?"

UH...NO.

"DELEGATE, DR. FRANKLIN.

"DELEGATE."

E DJALIA
I DO NOT TRUST HIM, T'CHALLA.
NOR DO I. BUT TRUST IS NOT THE BASIS OF OUR BARGAIN.
NOT EVERYONE WAS RAISED WITH ROYAL EXPECTATIONS AND GRAND POSSIBILITY.

AND TO THOSE UNFORTUNATES, WE OFFER A GLIMMER OF SOME UNSHACKLED WORLD, A PATH UNTRAMMELED.
WE ARE WHAT THEY COULD HAVE BEEN, SHURI. WHAT THEY STILL MIGHT BE. AND THAT TOO IS TEMPTATION.

NO, I DO NOT TRUST ELIOT FRANKLIN. HE IS SELF-INTERESTED TO A FAULT.
AND THAT IS WHAT I AM COUNTING ON.

NOW, TELL ME MORE OF THIS *DJALIA*.

WHERE WOULD I BEGIN? IT IS MEMORY INCARNATE, T'CHALLA.
THE HISTORIES BEFORE THERE WAS HISTORY.

IF THERE IS ANYTHING TO BE KNOWN OF THESE ORIGINATORS BEYOND THE LEGENDS, IT WILL BE HERE.
BUT WHY EXPLAIN...

...WHEN YOU CAN SEE FOR YOURSELF?

UGHTER.

AND WHO IS
HIS--ANOTHER
OF MY
CHILDREN?

NO. NOT
A CHILD AT
ALL.
A SCIENTIST.

A HERO.

HE
IS A KING,
MOTHER.

NO. NOT
HERE.
HERE
I AM BUT A
SEEKER.

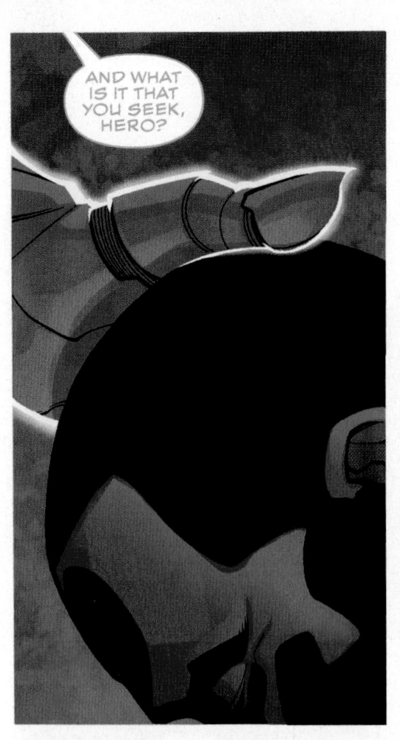
AND WHAT IS IT THAT YOU SEEK, HERO?

OH, MOTHER, STOP TOYING WITH HIM. YOU WELL KNOW WHY WE ARE HERE.

SO YOUNG. SO HARRIED.

BUT IF THE *AJA-ADANNA* ORDERS IT, LET IT BE.

AND SO WE RECOUNT, THEN, AS THE RAINS RECOUNT THE CLOUDS THAT BIRTH THEM.

WE RECOUNT, AS THE SEA RECOUNTS THE MOON THAT DRAWS IT TO TIDE.

WHAT I SPEAK OF NOW IS THE BEGINNING. WAKANDA BEFORE ITS NAME.
"WE DO NOT KNOW WHICH OF THE ORIGINATORS WAS FIRST OR WHEN PRECISELY THEY CAME.

"BUT WE KNOW THAT THEY CAME BEFORE US.

"THAT THEY LIVED IN PEACE BEFORE US.

"THAT THEY *THRIVED* BEFORE US.

"AND WE KNOW THAT WE FIRST CAME AS PILGRIMS, CALLED BY SOMETHING MYSTICAL IN THE VERY SOIL.

"AND I SUPPOSE THAT THESE FIRST PILGRIMS ARRIVED WITH GOOD INTENTIONS IN THEIR HEADS, AND INNOCENCE IN THEIR HEARTS.

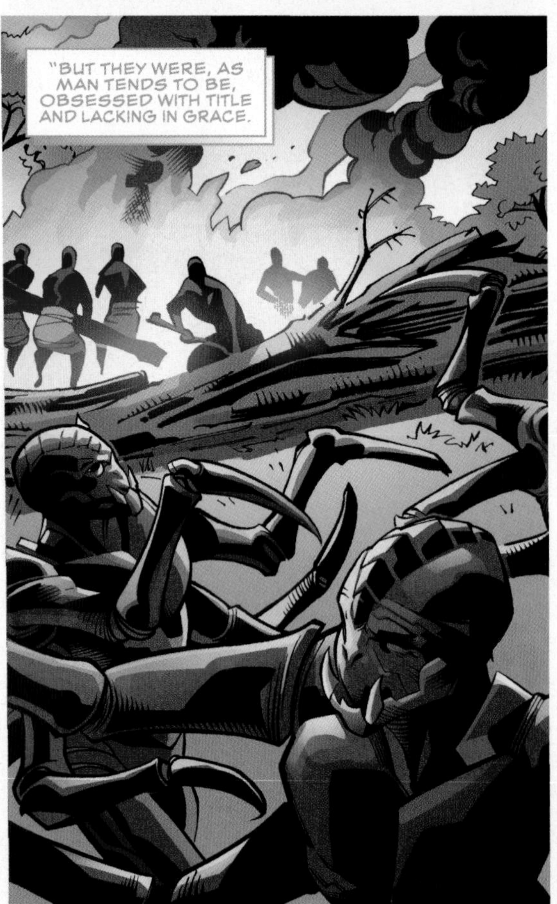
"BUT THEY WERE, AS MAN TENDS TO BE, OBSESSED WITH TITLE AND LACKING IN GRACE.

"THEY OFFENDED THE ORIGINATORS. AND SO THERE WAS WAR.

"THE PILGRIMS WERE ROUTED AT FIRST.

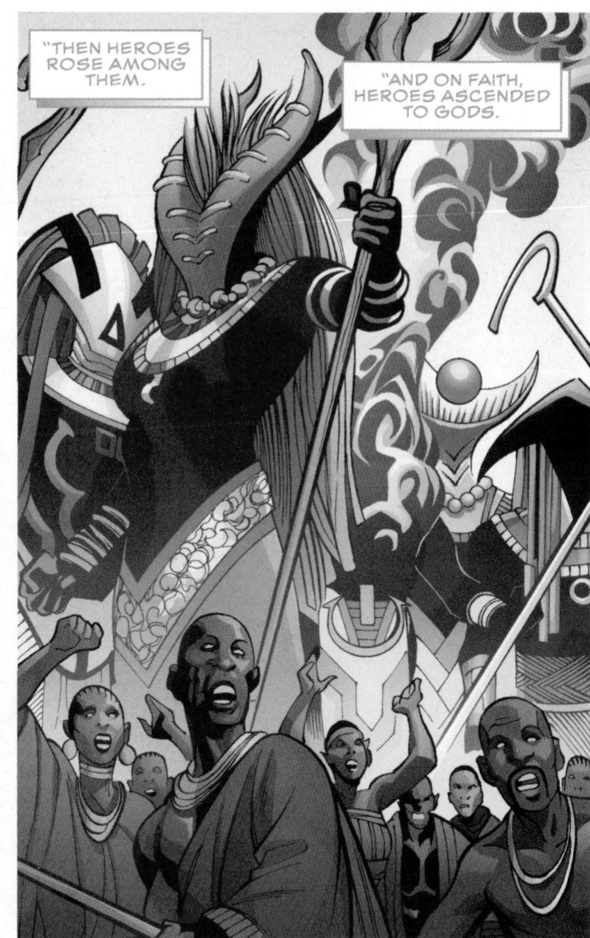
"THEN HEROES ROSE AMONG THEM.
"AND ON FAITH, HEROES ASCENDED TO GODS.

NOU, THE
R-BURNING.

"MUJAJI, THE LIFE-GIVER.

"AND MOST FEARSOME...
"...BAST.

THE ORIGINATORS WERE DEFEATED...
BANISHED TO THE NETHER-REALMS, BEYOND THE GATES OF THIS NEW WORLD.
"THE ORISHA, AND THEIR FOLLOWERS, STOOD AS SENTINELS AT THESE GATES.
"AND UPON THE LAND OF THE ORIGINATORS, UPON THE LAND SEIZED BY THE PILGRIMS AND THEIR YOUNG GODS...
"...WE BUILT THE MOST ADVANCED SOCIETY EVER KNOWN TO MAN."

HOW... HOW COULD THIS BE?

OH, MY DEAR SEEKER...
DID YOU TRULY BELIEVE THAT A GREAT NATION COULD BE BUILT WITHOUT ANOTHER UNDERFOOT?

OR DID YOU BELIEVE THAT YOUR YOUNG GODS WERE SOMEHOW MORE SOUND THAN ALL OTHERS?

I'VE STUDIED WAKANDAN HISTORY SINCE I WAS BOY.
YES, THERE ARE MYTHS. LEGENDS OF THE ANANSI AND THE SIMBI. BUT NOTHING LIKE *THIS*.

EVERY MAN IS THE HERO OF HIS OWN STORY, THE CHAMPION OF HIS CHOSEN MYTH.

BUT YOU ARE A KING. AND WHILE THE PEOPLE CAN AFFORD TO LIVE IN MYTH, YOU CANNOT.
YOU HAVE HEARD THIS BEFORE, YES?

THE ORISHA NO LONGER GUARD THE GATES. SOME OTHER AMUSEMENT, OR SOME OTHER TRAGEDY, HAS CLAIMED THEM.
AND YOU ARE A KING, I SAY. AND SO THE FATE OF WAKANDA IS YOURS, HERO.
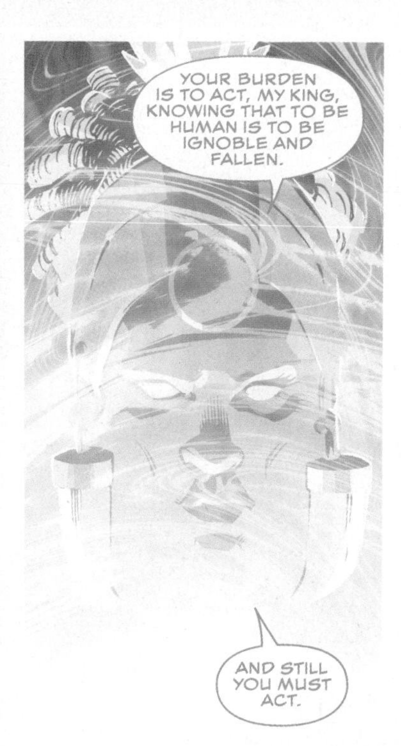
YOUR BURDEN IS TO ACT, MY KING, KNOWING THAT TO BE HUMAN IS TO BE IGNOBLE AND FALLEN.
AND STILL YOU MUST ACT.

"THE PAST CANNOT BE UNDONE. THERE WILL BE NO REPARATION FOR THE ORIGINATORS.

"THE WAR IS RENEWED.

"THE GATES MUST BE RESTORED."

WE DO NOT
OME TO YOU
PLEADING
GNORANCE.
OUR ANGELS--AYO AND ANEKA--KNEW WELL THE RISKS OF THEIR TRADE.
THE JABARI-LANDS
BUT WE DO PLEAD LOYALTY. FOR IT WAS LOYALTY THAT RETURNED OUR ANGELS TO THE SERVICE OF THE KING.
IT WAS LOYALTY TO YOUNG ASIRA DAVIN THAT SENT OUR ANGELS INTO THE DEMON MAW OF AZANIA.
AND IT IS LOYALTY, QUEEN-
MOTHER RAMONDA,
AT MUST NOW COMPEL
WAKANDA TO SAVE
AYO AND
ANEKA...
"...AS THEY ONCE SAVED ME."
I AM SORRY, QUEEN-MOTHER...I... I...
BIRNIN ZANA

M'BALI, I AM NOT HEEDLESS OF YOUR WORDS.
AYO I HAVE KNOWN SINCE SHE WAS A GIRL.
AND IF MY RELATIONS WITH ANEKA WERE... *DIFFICULT*...
"...KNOW THAT IT WAS DUTY, NOT MALICE, THAT COMPELLED ME."
AND IT IS DUTY THAT COMPELS ME STILL. DUTY IS WHAT I AM, YOU UNDERSTAND?
WE ARE BESIEGED. FALSE PROPHETS ARISE AND TAKE UP ALLIANCE WITH DESPOTIC POWERS.

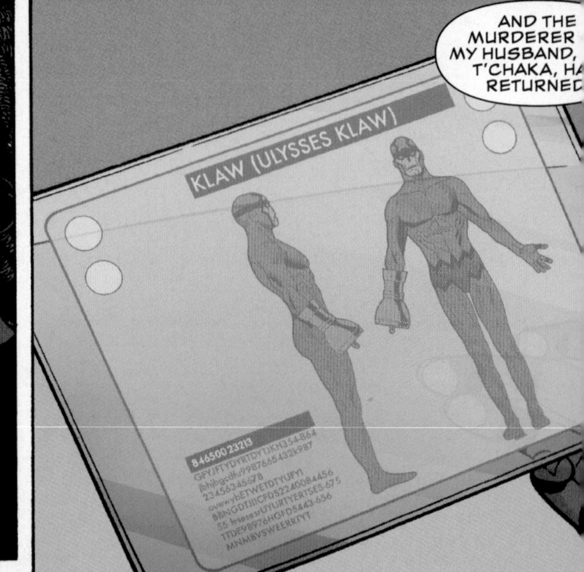

AND THE MURDERER MY HUSBAND, T'CHAKA, HA RETURNED
KLAW (ULYSSES KLAW)

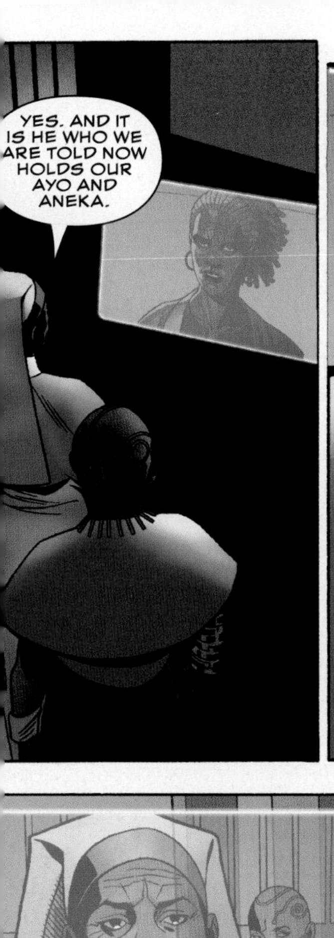
YES. AND IT IS HE WHO WE ARE TOLD NOW HOLDS OUR AYO AND ANEKA.

IF THEY ARE BEING HELD AT ALL.

UNDERSTAND ME: WOULD I THE POWER, I WOULD SEND THE WHOLE MIGHT OF WAKANDA TO REDUCE AZANIA AND KLAW TO DUST.

BUT I HAVE NO SUCH POWER. NOR DOES THE KING.
IT WAS RELINQUISHED IN THIS NEW ERA TO THE CONSTITUTIONAL COUNCIL.

"NO ONE MAN." YOU DO REMEMBER, DO YOU NOT?

THIS IS YOUR "DEMOCRACY." THE GOVERNMENT THAT YOU AND THE DORA MILAJE WERE WILLING TO SHATTER A NATION FOR.
AND NOW THAT YOU HAVE IT, WE MUST--ALL OF US--ABIDE BY IT.

NO. WE DID NOT FIGHT FOR A COUNTRY THAT ABANDONS THOSE MOST WILLING TO SACRIFICE FOR IT.
IF YOU HAVE NO PLANS TO SAVE AYO AND ANEKA, WE WILL MAKE OUR OWN.
FORGIVE MY AMERICANISM, BUT "YOU AND WHAT ARMY?"
DO NOT OVERTHINK YOUR POWER. THE AZANIANS WOULD DESTROY THE DORAS.
THEN IT WILL BE DEATH IN SERVICE OF LOYALTY.
IT WILL BE NO SUCH THING.
WE CEDED OUR POWER TO MAKE WAR ABROAD AT THE KING'S DISCRETION. BUT WE NEVER CEDED THE RIGHT TO ENFORCE THE LAW.
DO NOT FORCE THIS, M'BALI. IT WILL NOT END WELL. I AM IN SYMPATHY WITH YOUR PAIN.
BUT DO NOT THINK I WILL HESITATE ONE SECOND TO DO MY DUTY AGAIN.

ACTIVATE SECURE KIMOYO MESSAGING CHANNEL.
The Doras?
Flustered. Anxious. We need to move.
Is it ready?
75 percent. Need more time.
None left. Must move.
Understood.
Take the third step.
And the Gates? Anything to report?
Yes.
All bad.

SO, DR. FRANKLIN, WHAT DO WE HAVE?
THE SUBSONIC SIGNATURE FOUND AT A.I.M.'S REVERBIUM LAB CARRIED A SERIES OF HYPNOTIC SUGGESTIONS.

ALL OF THEM MEANT TO BEND THE TECHNICIANS TO KLAW'S WILL.
SO THE ATTACK WAS, IN THE MOST LITERAL SENSE, AN INSIDE JOB.
YES. KLAW HAD THEM HEARING VOICES 24/7. AND ALL OF THEM WERE HIS.
ONCE HE HAD THE REVERBIUM, HE USED IT TO AUGMENT THE POWER OF HIS SOUND-CRAFT.

KLAW'S SIGNATURE CAN BE FOUND ON SOME OF THE GATES YOU'VE SEEN...
...BUT NOT ALL OF THEM.

IF I HAD TO MYSELF HIS PLAC WHICH, I A IS PRET EASY
--I'D S HE'S TRY TO CAPITA AND HIT WHEN YO WEAK

T'CHALLA, IS THERE A PLAN?
A SECOND FRONT, SHURI-- TO BE OPENED IN THE WESTERN BORDERLANDS.
AN OFFENSIVE AGAINST KLAW IN AZANIA, WHILE WE DEFEND HERE IN WAKANDA?
YES. THE ORIGINATORS ARE NO REAL THREAT. THEIR WEAPONRY IS PRIMITIVE.
BUT THE TRUE GATES GROW IN NUMBER. WE HAVE NO MEANS OF CLOSING THEM. SHEER QUANTITY MIGHT OVERCOME QUALITY.
"BUT SOMETHING BIGGER THAN THEM IS HAPPENING IN WAKANDA.
"LAKE NYANZA WAS ONCE DESERT.
"MERE HOURS AGO, IT BEGAN REVERTING TO THAT STATE."

THE PAST, IT SEEMS, NO LONGER SIMPLY HARASSES US, BUT NOW SEEKS TO *COLONIZE OUR COUNTRY.*

ZAWAVARI, I DO NOT KNOW WHAT WE WILL FIND HERE. IN YOUR RECENT STATE...

I AM *FINE*. THE NYANZA IS HOME TO MORE THAN ONE GATE.
THESE CREATURES WILL PAY FOR THREATENING MINE.

FINE. EDEN, WILL YOU--

EDEN... WHAT IS IT?
I'M NOT SURE. I...

"...I THINK SOMETHING'S HAPPENING OUT THERE..."

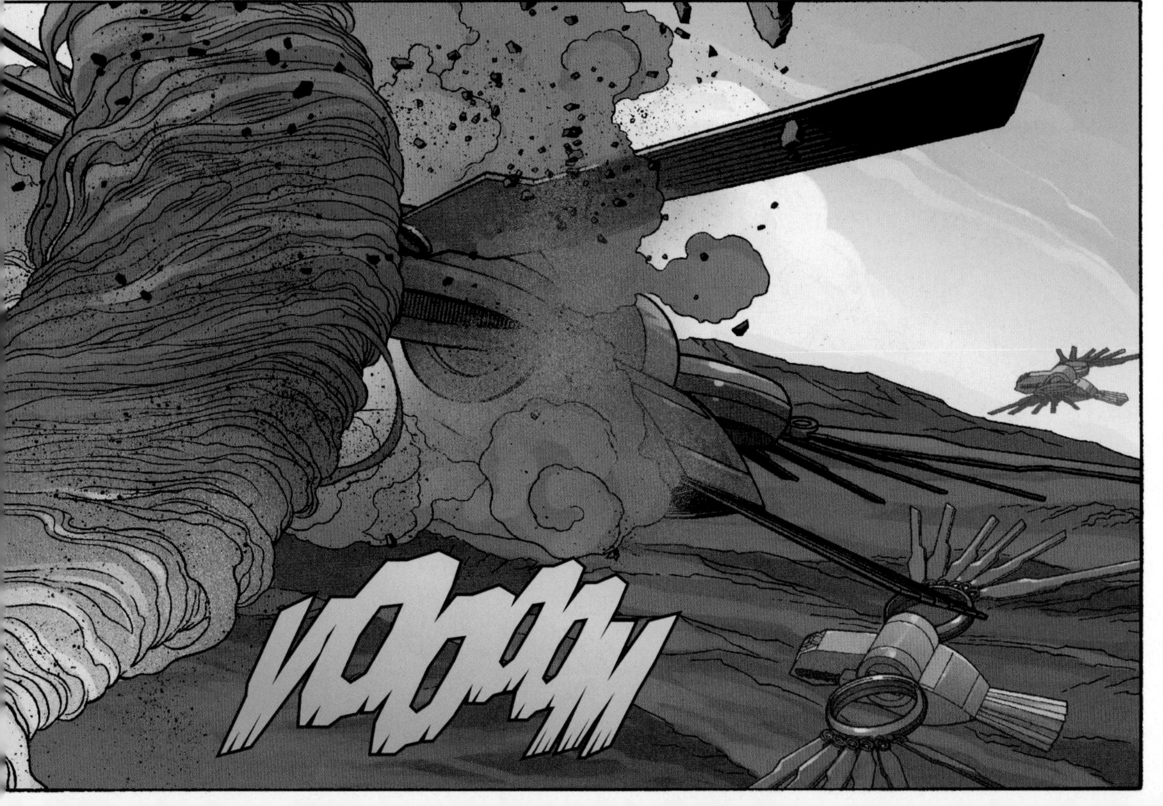
VOOOOM

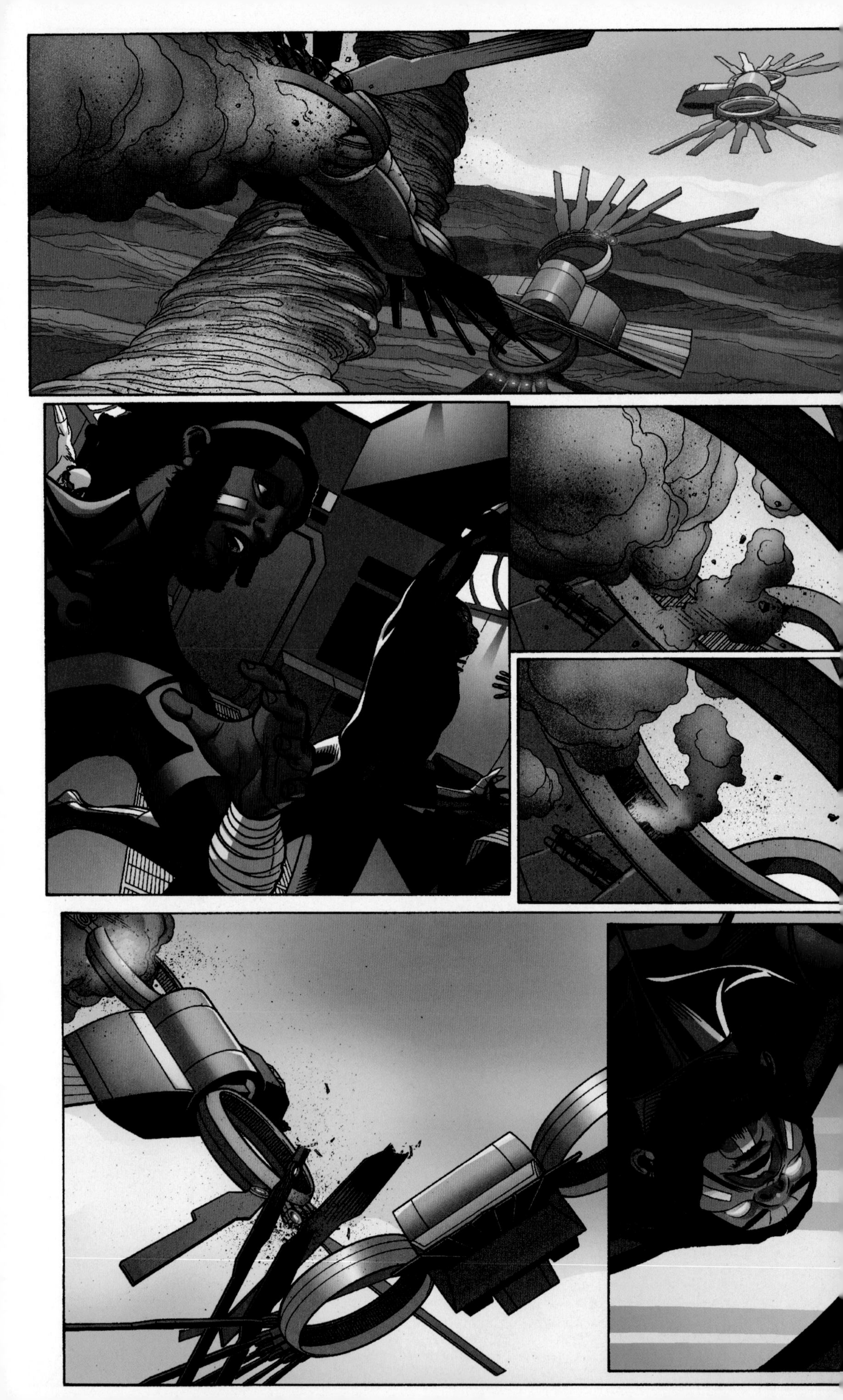

THE CREW... DR. FRANKLIN...

I...I GRABBED ALL I COULD.

FORGIVE MY CALLOUSNESS, MY FRIENDS...

...BUT NOW IS NOT THE TIME FOR GRIEF...

...NOW IS THE TIME FOR WAR.

EDEN--
--GET TO
ANY SURVIVORS.
BRING UP ANY STILL
IN FIGHTING
SHAPE.
SKREEE!

AKILI--
--MIND ZAWAVARI.
MIND YOURSELF, BOY.
I AM A SEER OF THE ELDER GODS...

MAH AND NOMMO
E ONLY ESCORTS
I NEED."
CRAAAACCKKK
NOT BAD, OLD MAN.
BUT WE'RE GOING TO NEED A LOT MORE.
AND MORE IS WHAT YOU'LL GET...

...WITH A LITTLE BIT OF THUNDER TO BOOT!
"AND SO ONCE AGAIN, MY DAUGHTERS, WE ARE FACED WITH A CHOICE..."

...ARE WE NATION, OR ARE WE SISTERS?
DO WE LEAVE AYO AND OUR CAPTAIN, ANEKA, TO--
COME TO DO YOUR VAUNTED "DUTY," HAVE YOU?

YES.
YES, I HAVE.
AN OATH TO MY NATION--SURELY A FOREIGN CONCEPT IN THIS LAND--COMPELS ME.
IT IS AS I HAVE SAID--WAKANDA CANNOT WAR AGAINST AZANIA WITHOUT DEFYING ITS OWN PROMISE OF REFORM.
BUT WAKANDA IS NOT WHAT IT WAS. THE IRON RULE OF DAMISA-SARKI HAS SLIPPED. REBELLION IS ALL AROUND HIM.
BEHOLD THE ERSTWHILE DORA MILAJE--HEEDLESS TO THE PANTHER'S LAW, INDEED A LAW UNTO THEMSELVES.
IT IS NOT HARD TO IMAGINE THESE ANARCHISTS, OF THEIR OWN VOLITION, WARRING AGAINST AZANIA ALONE.
WHO COULD BLAME THE COUNCIL IN SUCH A CASE?
WHO COULD TRULY FAULT THE PANTHER?

HOW?
WITH A PLAN...
...AND AN ARMY.
"I HAVE KNOWN T'CHALLA SINCE HE WAS A BOY. HE IS NOT LIKE US, M'BALI. HE SEES SO MUCH MORE.
"HE PLANS FOR EVERYTHING, AND THE EVERYTHING-SPINNING OF THOSE PLANS.
"HE IS NOT LIKE US, I TELL YOU.
"HOW, YOU ASK?"
BY THINKING TWO STEPS AHEAD OF HIS ENEMIES.

AND THREE STEPS AHEAD OF HIS FRIENDS.

AZANIA
OKAY, KLAW, IF WE'RE GOING TO BRING THIS REPLICA OF YOUR SISTER "TO LIFE," THIS IS GONNA BE OUR BEST SHOT.
YOU'LL USE THESE LAST BARS OF REVERBIUM TO AMP UP YOUR POWERS...
"...FAUSTUS AND ZENZI HAVE THAT WAKANDAN BIRD, AYO, WIRED IN TO THE NEURAL TRANSMITTER UPSTAIRS...
"...AND T'CHALLA DISTRACTED."
SO LET'S GET THIS DONE AND THEN GET BACK TO CARVING UP HIS COUNTRY.
MODEL

ENOUGH TALK, STANE.
DON'T WORRY. WITH ALL THE SONIC ENERGY YOU'RE ABOUT TO UNLEASH, I COULD TALK ALL DAY--
"--AND NO ONE WOULD HEAR A WORD."

C'MON, BOYS, LET'S HURRY UP AND GET THIS ONE TO HER CELL.
FAUSTUS TOOK HER GIRLFRIEND UPSTAIRS FOR "EXAMINATION."

HEY, MAYBE WE'LL GET OUR OWN SHOT AT
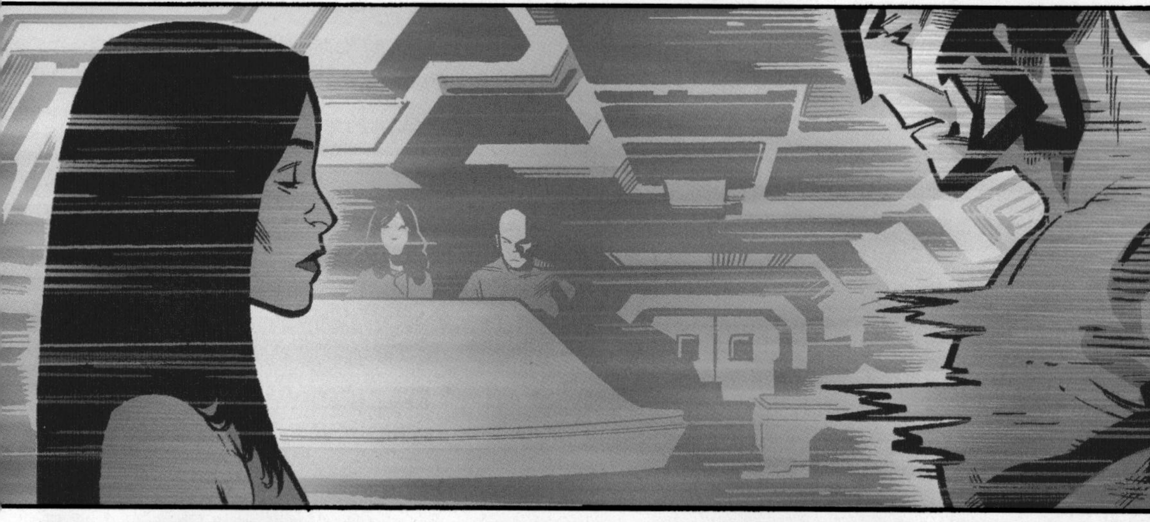

ALERT
INVASION COMMENCING--
ASSISTANCE REQUESTED
SITUATION CRITICAL
MASTER
SONIC FEED
SELF-GOVERNING SONIC PROTOT

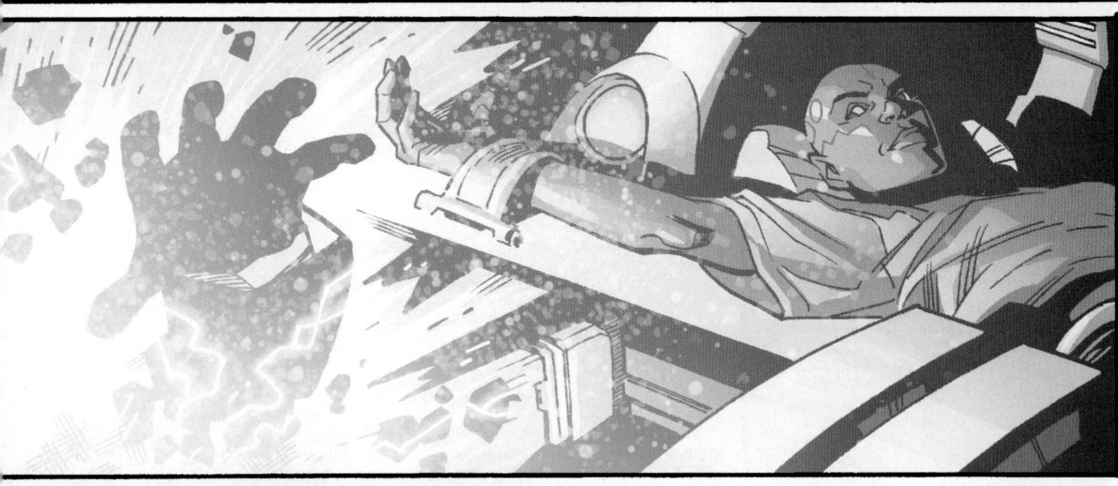

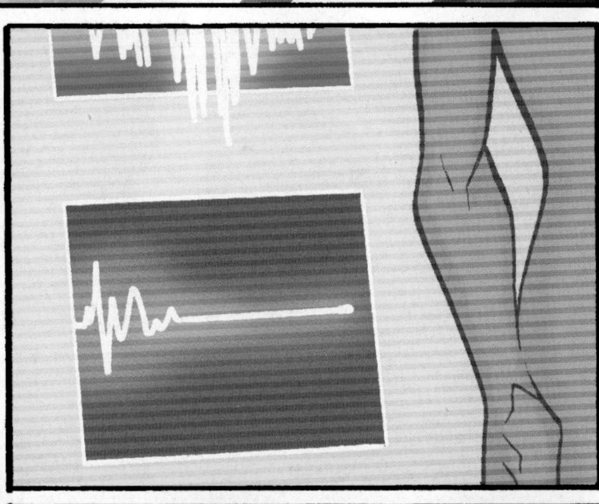

IN, BASE! COME IN, BASE!

WE NEED REINFORCEMENTS IMMEDIATELY! ARE YOU SEEING THIS VIDEO?

BOOM
"IT'S AN INVASION!"

THE MIDNIGHT ANGELS ARE EVERYWHERE!

noto

YOUR
BLEM IS THE
ALITIES AND
BINARIES.
THE
NSWERVING
LINES. THE
BOXES.
THE OBSESSION WITH FITTING A ROUND WORLD INTO A SQUARE WAKANDAN MIND.
IT IS NOT AFRICAN, I TELL YOU.
AFRICA IS A BEAUTIFUL WOMAN--ROUND AND LUSH.
BUT WAKANDANS ARE TRAPPED IN THE BINARY.
SO STRICT.
SO WESTERN.
BOXES WHERE THERE SHOULD BE CIRCLES. STASIS...
...WHEN WHAT WE NEED IS *REVOLUTION*.

BIRNIN ZANA,
TETU'S PRISON CELL
ALLOW ME TO CLARIFY.
YOU, THE WISE CHANGAMIRE, BELIEVE YOUR GODS TO BE LOST OR DEAD, TO HAVE SOMEHOW FORSAKEN YOU.
AND THIS REALLY IS THE PROBLEM--THE DUALITIES.
TWO THOUSAND SEASONS
A MONTH AND A DAY
HOMEGOING
LOST. FOUND.
LIFE. DEATH.
RISE. RUIN.
BUT WHAT WOULD IT MEAN TO EXPAND *BEYOND* THE BINARIES?
TO CONSIDER, FOR INSTANCE, THAT THE GODS ARE NOT DEAD...
...THAT THEY HAVE
FORSAKE
YOU...

HEY'VE MERELY
ROWN BORED
WITH YOU."
NYANZA
THE ORIGINATORS JUST KEEP COMING, T'CHALLA.
YES, DR. FRANKLIN.
AND SO DO WE.

I ADMIRE YOUR CAVALIER ATTITUDE IN THE FACE OF YOUR COUNTRY'S DESTRUCTION, T'CHALLA...
...BUT THE TRUE THREAT REMAINS...
"...RAS THE EXHORTER!"
THIS HUMBLE ONE THREATENS NO MAN.
REDUCED NOT THE LAKE TO GRAINS OF SAND.
RAISED NOT THE FRAMES OF THE FALLEN.

BROUGHT NOT THIS VENGEANCE UPON THE CONQUERORS.
FOR THIS HUMBLE ONE IS BUT A SUPPLICANT BEFORE THE MAJESTY OF THE *LOST-FOUND GOD*.
YOU ARE NOT THE ONLY ONE WHO CLAIMS THE DIVINE.

THIS IS CORRECT.

AND SO LET THE HERETICS BE THE FIRST TO FALL.

AHHH!
ZAWAVARI!
BY THE FANGS OF BAST...
NO!

T'CHALLA, WE ARE WASTING TIME. NO WORD FROM MANIFOLD OR THE DORAS. AND WE'VE YET TO RECOVER THE GIRL, ASIRA.
WE NEED TO END THIS FAST. WE NEED A PATH.
WE HAVE A PATH, SISTER.
BUT IT DOES NOT RUN THROUGH ME.
OBSERVE WHAT DR. FRANKLIN AND HIS ENCHANTED WEAPONRY MAKE OF THESE APPARITIONS.
IS IT REALLY A MISTAKE THAT THIS EXHORTER TARGETED ZAWAVARI, OUR SORCERER?
ONE MIGHT ALMOST SUSPECT SOME MANNER OF WEAKNESS TO BE EXPLOITED.
"OUR ENEMIES ARE LEGION.
"DR. FRANKLIN HAS ONLY ONE ENCHANTED BALL AND CHAIN."
AND I, BUT ONE ENCHANTED SPEAR.

BUT ZAWAVARI IS NOT THE ONLY MYSTIC IN OUR NUMBER.
NO, HE IS NOT.
DR. FRANKLIN, MY SISTER WISHES NOT TO BE DISTURBED.
NO PROBLEM.

THESE MEN WERE WARRIORS, ONCE.
BANDIT-KINGS WHO THRONED IN A TIME WHEN LAKE NYANZA WAS A DESERT, LIKE IT HAS BEEN REVERTED TO NOW.
"AND WHAT ARE THESE MEN NOW? BODIES DIVIDED FROM SPIRIT.
"GHOST SHIPS STRUCK FROM MOORING. FLOTSAM UPON A GREAT SEA OF SAND.
"SO MUCH RAGE. SO MUCH HATE."
BUT WHAT IS RAGE BUT AN OPEN WOUND, THE SHADOW OF PAIN?
AND WE GREET THEM WITH WEAPONRY...
"...WHEN WHAT IS NEEDED IS A HEALING.
"A RESTORATION.

"A LAYING ON
OF HANDS."

UH, T'CHALLA? SHURI'S POSSESSION TRICK IS HELPING, BUT IT'S NOT ENOUGH...
Got 'em.
...PLEASE TELL ME YOU'VE GOT SOMETHING MORE THAN A TEXT MESSAGE UP YOUR SLEEVE!
CAN'T HOLD THEM...LINK... BREAKING...
OKAY. SO THIS IS HOW IT ENDS. LET'S DO IT, THEN.
WHY SO DREARY, DR. FRANKLIN?
TO PARAPHRASE A GREAT BALLADEER...

LET US SEE THE FUTURE FIRST.
APOLOGIES, T'CHALLA. IT TOOK A MOMENT TO GATHER EVERYONE.
NONSENSE, EDEN...
"...YOUR TIMING IS IMPECCABLE."
FOOL. YOU THOUGHT TO BURY ME? EVEN IN THIS FORM, THE NYANZA IS STILL MY HOME.
AND BY T
HORN OF AZ
I'LL HAVE T
CONJURE
HEAD!

YET AGAIN THE AMSEL MUST RESCUE HER CHAMPION.
MAY IT ALWAYS BE THUS.

H- URI?
THE SAME, BELOVED.
TH...THERE WILL BE TIME... TO TELL THE STORY FROM THE BEGINNING.
UT RIGHT W, ORORO, HAT WE NEED...
...IS AN ENDING.

Elemental Protocols!

ENGAGED!

"YOU KNOW, THERE ARE THOSE WHO THINK THESE DISTURBANCES OF LATE ARE NOT THE WORK OF GODS AT ALL..."

...BUT OF MEN.
MEN WHO MIGHT WELL BE IN LEAGUE WITH YOU.

A TYPICALLY ARROGANT WAKANDAN DEFENSE.
YOUR GODS HAVE DEPARTED, SO THERE MUST BE NO GODS AT WORK AT ALL.

THIS IS NOT ABOUT GODS, TETU.

THE OUTLANDERS-- ZEKE STANE, TELFORD PORTER, THOSE HYDRA TWINS--
--YOU INVITED THEM IN.
DO YOU NOT UNDERSTAND THAT I AM TRYING TO HELP YOU?
BUT I CANNOT HELP YOU IF YOU TAKE NO RESPONSIBILITY.
I DO NOT NEED "HELP," BABA.
AND I CANNOT CLAIM THAT WHICH I HAVE NOT DONE.
AND WHAT HAVE YOU DONE, MY SON?
I HAVE OPENED A DOOR.

"YOU THINK YOUR MYTHS ARE THE ONLY MYTHS.
"THAT YOUR POWER IS THE GREATEST OF ALL POWERS IN ALL OF THE MANY WORLDS.
"WAKAND THE GREA
"WAKANDA THE UNCONQUERABLE."
WAKANDA T INSUFFERAB

YOU THINK YOU
E BEATEN ME--
BEATEN US."
YOU HAVE NO IDEA WHAT WE ARE.
ND YOU HAVE
NOTION OF
AT IS COMING.
"COME NOW, BABA...
"...YOU THINK YOUR WAKANDAN WISDOM CAN REALLY TELL YOU...

"..WHAT AWAITS BEYOND THE DOOR?"
ASIRA?!

UHHH...
HELLO?

HELLO, ASIRA.

OKOYE?!
WHAT IS THIS? WH-WHERE ARE WE?

IS IT NOT OBVIOUS?

"WE ARE DREAMING, BELOVED."
DARK ROOM LABS
BIRNIN ZAN

THIS DOESN'T FEEL LIKE ANY DREAM I'VE EVER HAD.
WHY ARE YOU HERE?

FOR YOU, ASIRA.
THERE WAS A SICKNESS ABOUT.

WE HAD TO *QUARANTINE*.

YES, YES. I KNOW.

PEOPLE WERE HURT.

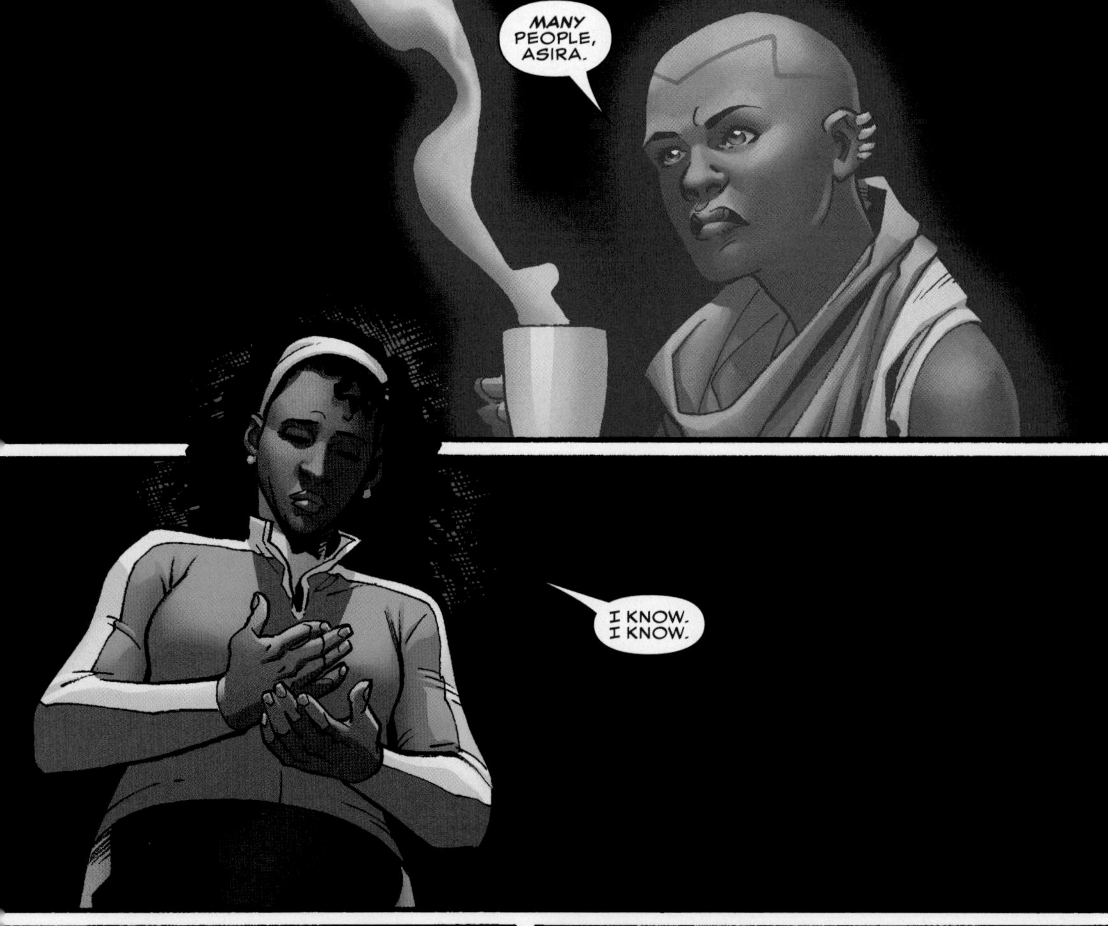
MANY PEOPLE, ASIRA.
I KNOW. I KNOW.

YOU ISH TO , THEN. TO E THINGS RIGHT?
YES. MORE THAN ANYTHING.
THEN RELAX, BELOVED.

AND TELL ME EVERYTHING YOU KNOW.

AZANIA
YOU'LL HAVE TO GET KLAW ALONE FOR THIS TO WORK.

"A FEW KLICKS NOR
OF WHERE ANEKA A
THE REST OF THE MIDNI
ANGELS HAVE ENGAG
HIM AND THE AZANIA
ARMY, THERE'S AN
OPEN FIELD."

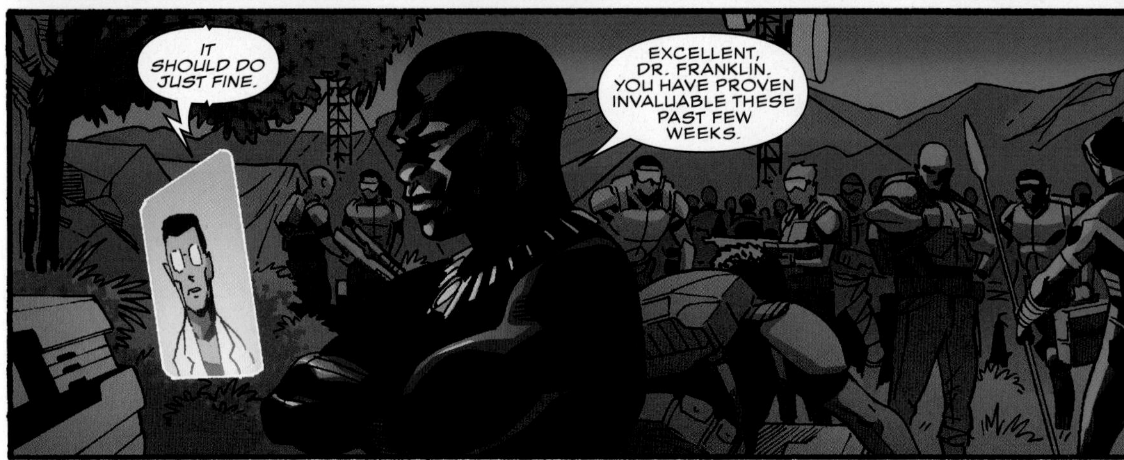
IT SHOULD DO JUST FINE.
EXCELLENT, DR. FRANKLIN. YOU HAVE PROVEN INVALUABLE THESE PAST FEW WEEKS.

I WANT YOU TO KNOW THAT, AFTER THIS, THE UNDERSTANDING I SPOKE OF...
WELL, CONSIDER YOURSELF UNDERSTOOD.

AT LEAST "UNDERSTOOD" BY ME, DOCTOR.

THE RECKONING WITH YOURSELF, HOWEVER-- HOPEFULLY THAT CONTINUES.

THE STRUGGLE FOR YOUR NAME IS NEVER COMPLETE, DR. FRANKLIN...

THE STRUGGLE
S ETERNAL."

THE AZANIAN REBELS ARE WITH US, SISTERS!
TAKE THE SKIES, NOW!
CARRY THE FIGHT RIGHT--
ZAAARRKKKK
UNH!
PARTY TIME, "SISTERS."
ME.

SASHA, YOUR DETROIT STEEL ARMOR-- KILL HIM!

HANDS OFF MY MAN!
HANDS OFF MINE!

NOT BAD, EDEN. NOT BAD AT ALL.

JUST STAY ON TASK, KASPER, AND GET THAT ASSAULT PLATFORM DOWN.

OH, I PLAN TO DO A LOT MORE THAN THAT.

AND HEERREE WE GO...

HAHA! BEAT THAT, PORTAL BOY!!!
IT'S NOT A CONTEST, KASPER COLE...
BUT IF IT WERE...

UNH!

SO WHAT SHALL IT BE, T'CHALLA?

ARE YOU BRAVE ENOUGH TO COME GET YOUR BOY, OR DO I HAVE TO START SEVERING LIMBS?

DIE, JAMBAZI!
ZARRRRK

UNLIKELY, BABOON.
ARRGGGHHHH

OU HURT ME...

THAT IS GOOD.

BUT NOT GOOD ENOUGH.

BELIEVE ME, MURDERER...
...YOU AND I ARE JUST GETTING STARTED.

ARRRGHH!!!

STILL NOT GOOD ENOUGH, T'CHALLA.

YOU KNOW HOW THIS ENDS WITH ME ON TOP GREAT MOUND. YOU UNDERNEA ONE...

...RIGHT NEXT TO YOUR DEAR OLD *DAD*.

YOU TALK TOO MUCH, ULYSSES. YOU ALWAYS TALKED TOO MUCH.
KRRSSSH

BOO

RAAASCH
ARE WE READY, DR. FRANKLIN?
STANDING BY.
CALLING FOR HELP, ARE YOU?
THOOM

WHEN WILL YOU GET IT?
I AM THE VOICE ALL AROUND YOU.
YOU CAN'T KILL ME.
YOU CAN'T HOLD ME.
YOU CAN'T EVEN RUN FROM ME.

I MOVE AT THE SPEED OF *SOUND*, T'CHALLA.

BOW BEFORE ME. FOR REVERBIUM HAS MADE ME A *GOD*.

HELLLLOOOO...
REVERBIUM DISRUPTERS LOCKED IN

YOU ARE NO GOD, ULYSSES.

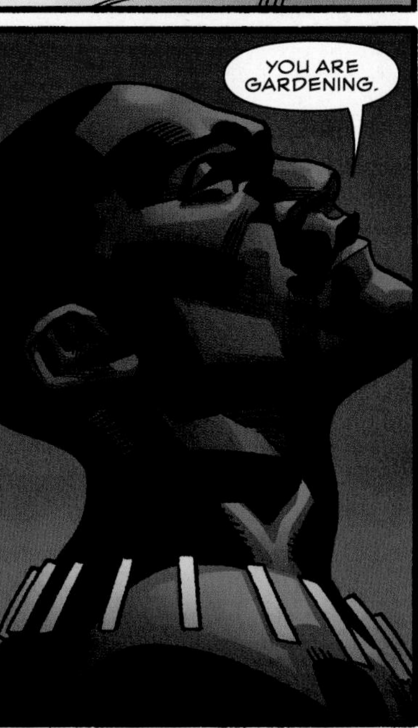
YOU ARE GARDENING.

SHAARRMM

YOU THINK THIS...
THIS... THIS...
YOU SHOULD HAVE LISTENED TO WHAT THEY SAID ABOUT REVERBIUM, ULYSSES.
YOU SHOULD HAVE LISTENED BEFORE YOU DEVOURED IT ALL. BUT YOU WERE TOO BUSY TALKING.
IT IS COUNTERFEIT, UNSTABLE.
J... JULIA...
JUST LIKE YOU.

YOU CAME BACK FOR US...
...FOR YOUR TREASONOUS DORA MILAJE...
...YOU CAME BACK...
HAIL WAKANDA!!! HAIL DAMISA-SARKI!!!
HAIL WAKANDA!!! HAIL DAMISA-SARKI
"THAT CREEPY GI
ZENZI, SHE PULL
OUT EVERYTHIN
I'D TUCKED AWA

SHE KNEW WHAT BUTTONS TO PUSH.
I WAS MAD AT T'CHALLA, MAD AT WAKANDA.
AND THEN FAUSTUS TWISTED THOSE FEELINGS TO HIS OWN ENDS.
FOCUSED IT. GAVE IT VOICE.
MORE THAN VOICE.
T CAME *ALIVE*, OKOYE.
AUSTUS AND HIS MEN OUGHT *SEFAKO* WAS JUST WAKANDAN MUMBO JUMBO."
BINARIES... DUALITIES...
"BUT THAT CREEPY GIRL...
"...SHE ALWAYS UNDERSTOOD."

UNDERSTOOD WHAT, ASIRA?
THAT KLAW AND FAUSTUS WERE NEVER IN CONTROL. THAT I WAS NEVER THEIR TOY.
"I BELONGED TO SEFAKO. AND HE WAS VERY REAL."
NO...
MY GOD, OKOYE, YOU'VE GOT TO WARN T'CHALLA. THIS AIN'T A GAME!
NOT HIM...
I CALLED HIM SEFAKO.
BUT I REMEMBER NOW THAT HE HAD ANOTHER TITLE...

THE ADVERSARY!

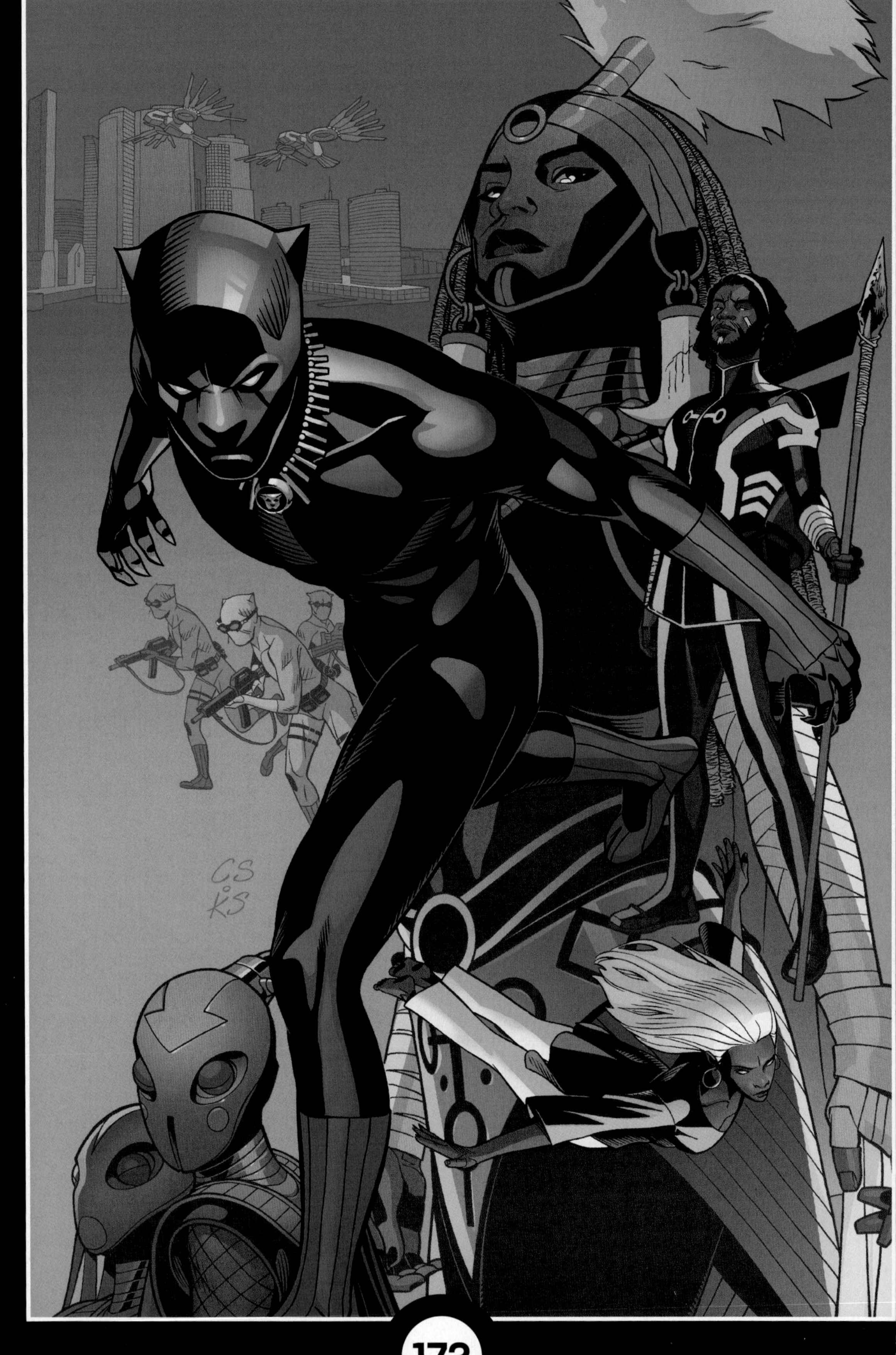

"WE ARE STILL NOT
XACTLY SURE WHETHER
OUR GODS ARE DEAD.
"BUT WHAT
WE DO KNOW
IS THIS:
"IT WAS OUR GODS,
OUR *ORISHA* WHO
ANISHED THE VANYAN,
HE ANANSI, THE SIMBI.
OUR ORISHA WHO
OCKED THESE
'ORIGINATORS'
AWAY.
"UNTIL
HE ADVERSARY
FREED THEM...
"...AND, SOMEHOW,
IN DOING SO...

"...ALSO FREED HIMSELF."

IS THIS REALLY THE DEMON WHO PLAGUED WAKANDA, DESTROYED THE ORISHA, AND BROUGHT FORTH THE ORIGINATORS?
YEAAARRGGGHHH!
I AM UNIMPRESSED.
T'CHALLA DID NOT TELL US IT WOULD BE THIS EASY!
N'KANO, THIS IS THE ADVERSARY. I HAVE FACED HIM BEFORE.*
*SEE THE X-MEN: FALL OF THE MUTANTS TPB! --WIL

NOTHING ABOUT THIS WILL BE *EASY*.

YES, TELL THEM, WIND-RIDER.
I WAS DEVOURING SOULS WHEN YOUR ORISHA WERE CRINGING IN HUTS!
ARRRRGGGH!!
OH, YOU THINK THOSE POWERS ARE YOURS?
UGH!
LET ME SHOW YOU, CHILDREN.
CRACK
YOU'RE JUST PIECES ON THE BOARD. TO BE DEPLOYED AT MY WILL.

NO!
DON'T CRY, DARLING. IF YOU KNEW WHAT I HAD PLANNED UP HERE...
WHAM
...YOU'D BE THANKING ME FOR PUTTING YOU DOWN THERE.
ZAWAVARI, GET THEM OUT!
WAIT, WHERE ARE YOU GOING?!
ALL ALONE, ARE WE?
I AM WAKANDAN, CUR. WHERE I GO, MY NATION FOLLOWS.
I ASSURE YOU...

"...I NEVER
GHT ALONE."
I SHOULD BE IN RANGE MOMENTARILY, OKOYE. ARE WE PREPARED?
YES. THE GOLDEN CITY...
"...ALKAMA...
"...THE JABARI-LANDS..."
-THEY'RE STANDING UT WE NEED RO FOR THIS O WORK.
THE ADVERSARY HAS BURIED HER--AN EFFORT TO INDUCE HER CLAUSTROPHOBIA, NO DOUBT.
THEY'VE FOUGHT BEFORE. HE KNOWS SHE'S THE MAIN THREAT.
HOPEFULLY OUR PLANS ARE BETTER LAID THAN HIS.

AREN'T YOU SOMETHING-- A RAINBOW OF POWERS.
MORE THAN ENOUGH FOR YOU, DEMON.
"GOD," DARLING...
ZAAARK
...YOU CAN ADDRESS ME AS "GOD."

HURRY, ASHA...HNNNH... I DON'T KNOW HOW LONG I CAN HOLD THIS...

SHE ISN'T RESPONDING, N'KANO.

I WAS TRYING TO SAVE ENERGY, BUT PERHAPS SOME LIGHT...

STORM, PLEASE...

WE NEED YOU. N'KANO ISN'T STRONG ENOUGH ALONE.

ALONE. MOTHER...DON'T LEAVE ME HERE... ALONE.

CAN'T RUN FOREVER, DARLING.
I AM NOT YOUR DARLING, DEMON.
AND I NEVER,
EVER
RUN.

"WITH THE ORISHA GONE, THE ADVERSARY SOUGHT TO STEP INTO THEIR PLACE.
"BUT TO DO THAT, HE FIRST HAD TO CONTEND WITH SHURI.
"SHE HAD HER GRIOT POWER--THE ENTIRE HISTORY OF WAKANDA--AT HER DISPOSAL.
"IT WAS NOT ENOUGH."

SHOULD HAVE RUN WHILE YOU HAD THE CHANCE!

CAN'T... HOLD...MUCH LONGER.

GIVE IT UP. YOU AIN'T GONNA BEAT ME.
I TOLD YOU ONCE...

...I NEVER FIGHT ALONE.

ARRRGGGHHH!!!
SHRAAK

"WE KNEW THAT THE ADVERSARY WAS VULNERABLE TO IRON.
SHRAKKK
SHRAAKKK
"AND THUS FIGURED A AYLOAD OF VIBRANIUM-ACED SHELLS MIGHT CAUSE HIM SOME DISTRESS.
BUT WITHOUT YOU..."
ORORO, PLEASE...
HRAH!

CRACK
"I AM A KING, ORORO.
"A WARRIOR.
"BUT STILL A MAN.
"I COULD NOT PREVAIL AGAINST THE DEMON.
"BUT I CO
DELAY HIM

ZZZZZZRAKKKK
T'CHALLA, THAT CRAVEN COWARD ZAWAVARI RAN LIKE A DOG!
NO, SISTER--
ZAWAVARI
IGHT WHERE
NEED HIM.
COME, REMAINDERS. YOU SEE OUR ENEMY!
NO
ORE GAMES,
AKANDANS.
THE
IE OF MY
OMINION
S NOW.
NOT NOW, DEMON.
NOT EVER.
"HOW DOES A MAN, A KING EVEN, DEFEAT A GOD?

"WITH A BIGGER GOD."
ORORO, KNOW YOU HEAR ME D THERE.
THE ADVERSARY HAS IMPRISONED YOU. AND HE WILL IMPRISON US ALL IF YOU DO NOT STOP HIM.
ONLY YOU-- THE HADARI YAO, THE WALKER OF CLOUDS-- ARE POWERFUL ENOUGH TO STOP HIM.
I AM THE KING OF WAKANDA. I AM THE NATION INCARNATE.
AND ON BEHALF OF THAT NATION, I SAY: LET THE FAITH OF ALL OF WAKANDA POWER YOU.
THAT FAITH IS MORE THAN ANY MUTATION. IT IS A GIFT OF GODHEAD, PASSED DOWN FROM YOUR ANCESTORS.
CLAIM THE GIFT.

LET THIS BE THE HOUR WHEN GODS AGAIN STALK THE LAND.
BOOOOM

THE HOUR OF THE STORM.
THOOOOM
NOOOOO!!

I HAVE A CONFESSION TO MAKE.
THE LAST TIME WE WERE HERE...
"...WHEN I ASKED YOU IF YOU WERE A GOD...
"...I KNEW THE ANSWER."

OF COURSE YOU DID. YOU ALWAYS HAVE THE ANSWERS. EVEN WHEN YOU THINK YOU DON'T.
AND YOU KNEW MUCH MORE THAN THAT, DIDN'T YOU?
YOU KNEW WHAT WAS OPENING THE GATES. AND YOU KNEW WHAT IT WOULD TAKE TO CLOSE THEM.
I...HAD A HUNCH.
DON'T TAKE THIS T
WRONG WA
T'CHALLA..
...BUT YOU ARE, WITHOUT QUESTION, THE MOST MANIPULATIVE AND SCHEMING MAN I HAVE EVER MET.
I KNOW. I DO NOT DENY IT.
I HAVE... "ISSUES," AS THEY SAY.
WHY COULDN'T YOU JUST TELL ME?

I WAS NOT SURE. AND I AM KING.
A KING HAS TO BE SURE, ORORO. HE HAS TO *KNOW.*

NO. NOT WITH ME.
NOT HERE.

LET THE WORLD CALL US WHAT THEY MUST-- GODDESS, KING-- WHATEVER IT IS THEY NEED.
BUT BETWEEN YOU AND I, THERE CAN BE NO TITLES.

WE'VE DONE THAT BEFORE. AND IT RUINED US.

IF THERE ARE NO TITLES, WHAT ARE WE TO EACH OTHER?
ISN'T IT OBVIOUS, MY LOVE?

I AM FOREVER YOURS.

"AND YOU ARE ALL MINE."
THE E

DOWN WITH THE KING

nd your emails to **mheroes@marvel.com** and mark them "okay to print."

readers! Soon after they ttended the premiere of the PANTHER movie earlier this , we got Ta-Nehisi Coates jan Coogler, the director and iter of the movie, together e a conversation about all Panther!

HISI COATES: Hey, what's up,

COOGLER: Hey, what's ning, boss?

S: How you feeling, man?

LER: I'm good, man.

EL: Ryan, could you speak w the Black Panther comics neral and Ta-Nehisi's run ically informed the movie?

LER: Yeah, I mean they informed nendously. When I got the gig, st thing that I did was try to s many of the runs as possible. access to the job really before dropped of Ta-Nehisi and Brian eze doing the comic, so where really digging in was some of der stuff, and really getting into est run and the Hickman [NEW GERS] run.

hen I started to see what Ta- i was doing with the project, you he was posting things online months before the release of PANTHER #1]. So I was seeing of Brian Stelfreeze's early n work, and I was just really d by it. I thought it was just so sting. I was reading Ta-Nehisi a the time, his non-fiction work, ssays, his book. I was really sted in what he and Brian were to be doing. I love Brian's work e had done before coming on to HER.

ght it was interesting that the creative forces for what was ening in the comic and how s gonna look were these two n American men of stature industry. I thought that was interesting, and I could tell that haracter was being written and with that kind of reverence, ere was an energy around it in mic world.

EL: And you guys started unicating soon after that, right?

COATES: Yeah, and It turns out that Ryan was a cat who not just was a tremendous filmmaker, but his heart and the generosity of his soul just came across in the conversation. It was something just to hear how Ryan's mind worked.

I told Ryan this before, but I haven't had the courage yet to watch *Fruitvale Station*. I know it's a great movie, but it's a topic that's hard for me. But I watched *Creed*, man, and when I thought about Ryan doing Panther, the level of sensitivity that Ryan brought and nuance to basic character--somebody was going to do that in Wakanda? Have all the action and everything, but also have that character? Man, I was so excited about that. And he fulfilled it, he really did.

MARVEL: Ta-Nehisi, in your comics, and Ryan, in your movie, the women of Wakanda play such a large role--why was that so important to you both?

COOGLER: That was some of my favorite stuff in Ta-Nehisi's run, with the Midnight Angels and how the *Dora [Milaje]* were represented. And I always wanted to make a film that really showed all aspects of black women. I got to do it a little bit in *Creed,* but with the characters that you have in the world of Black Panther--with the *Dora Milaje*, with the queen mother Ramonda, with Shuri, and with Nakia and Okoye--you can really get that opportunity.

I really wanted to try to have women who speak to the themes of the film, who personally had their own arcs in the film, and who really speak to the fact that a society--an African society or any society--doesn't function without women carrying tremendous weight. T'Challa is a great king, but he can't be that without the women in his life. So that was kind of my perspective.

But Ta-Nehisi's work with the *Dora* and the Midnight Angels and the agency he gave them in his book, it was really an incredible jumping-off point.

COATES: Like Ryan, I've always wanted to do something that allows you to explore the world of black women and explore some of the issues that come with that. When I came into the run with BLACK PANTHER, a lot of his supporting cast was actually dead, and it just so happened that a lot of the characters who were still alive were women.

And there had been that beautiful moment in Jonathan Hickman's run on NEW AVENGERS where T'Challa had to leave Shuri [NEW AVENGERS #24]. And one of the things that Ryan does beautifully in the film is that this is about a young king who's trying to learn how to wear the crown, and even though T'Challa is not a particularly young king in Hickman's run, a huge part of that is about that. I think Ryan's literally got a line in the movie where he says, "It's hard for a good man to be a king."

So when you had so many women in the cast, in terms of the ratio, and you had this case where my man had left his sister basically because he had to be king--it just felt like the natural place for tension. It felt natural to ask how would the *Dora Milaje* feel in this situation, how would his relationship be with his sister, how would he feel about that. So it really was the perfect opportunity to explore it.

And in terms of black women, some of the fight scenes in the film, like the ones with Okoye and Nakia, I just don't think you've seen two black women like that before! And there's not just fights, there's humor! It's not like they walk in and they're just badasses, there's humor between them! And there's that thing called the "Bechdel Test," how you can judge the complexity of the women characters--do they talk to each other about something else besides the men? There's all these instances between Nakia and Okoye where you get their own internal lives and their own internal motivations. So I appreciate Ryan saying that he saw some of that in the comic books, but he took it to another level. He really did.

MARVEL: Telling super hero stories was an unexpected move for both of you. You were both at a point where it seemed like you could go anywhere in terms of career direction. Can you talk about why you made your respective decisions and what the experience has been like?

COOGLER: I've always loved comic books. I think my love of comics goes back as far as my love of movies, possibly further back. And I loved

DOWN WITH THE KING

when they would make cartoons about the comic books, I loved it when they made movies about the books. Once I realized that I wanted to be filmmaker, I started to gravitate toward films that dealt with more realism and international cinema that dealt with almost like a documentary-style realism, so those were the types of films I started to make. But I always felt all this love for big event movies that were inspired by comic books. I loved *Iron Man*. I loved *Batman Begins* and the *Dark Knight*, these movies that Nolan was putting out.

And I still would go to Comic-Con, you know what I mean, and sit in Hall H and watch them present these big, huge movies. And that was always something I wanted to do one day. So for me, the passion was always there. I know Ta-Nehisi will want to speak to that.

COATES: Yeah, it's the same way. My love of comic books is at least as old as my love of novels. It was in comic books that I first saw certain big words, you know what I mean? Like that Chris Claremont was using. [laughter] So when I got asked, I mean, I was blown away.

MARVEL: Ta-Nehisi, your BLACK PANTHER #1 was the highest ordered comic of 2016, and Ryan, your movie is already setting preorder ticket sale records. Why do you guys think that these characters are connecting with people so much? Would they always have? And why now?

COOGLER: In the case of the film, I think that it always would have connected, I truly do. In Ta-Nehisi's case, I think that it's a little different. When he wrote *Between the World and Me*, when that book was released, he operated in a cultural space that was very unique. And for him to transition to comics at that time, after the release of *Between the World and Me*, and to do it with this specific comic book, which has a history of being almost like the exclusive comic book where you could address some of these issues of colonization and African heritage head-on--it was a zeitgeist thing, man. And Brian Stelfreeze, he's somebody who's so respected in the comic book world--the fact that he and Ta-Nehisi were teaming up, it was a historic thing at the time for comic books.

As far as the film goes, T'Challa is such an interesting character, and there's this dynamic where we've got audiences who have seen several different types of super hero movies at this point, it's become a thing that's commonplace. I think the audiences have kind of grown tired of seeing the same old thing, and the idea of a super hero movie where you can still see things blow up and explode but you get it with a different flavor, you get it with something that feels unique, that feels special, feels of a moment--that makes Black Panther feel very special in the audience's eyes. But I think that if it came out at any time, it would be a good time, it would be a special time, but right now--

COATES: Ryan, you don't think there was something going on, though? Like, to push it a little further, do you think there was something that was happening right now that allowed Marvel to even greenlight that movie? To even decide to make a Black Panther movie, like at this point?

COOGLER: I'm sorry, Ta-Nehisi, you saying, like, do I think that there's something going on in the culture?

COATES: Yeah, like, in the broader culture, or even in our culture. Like, do you think they would have greenlit it, I don't know, even like twenty years ago, ten years ago? I mean, it's a radical thing to say, "Yo, I'm gonna tell the story of this black super hero and I'm gonna do it in the country, I'm going to do it in Wakanda, and it's going to be basically all black people in the movie." You know what I mean? So for someone like Disney to be like, "Yeah, all right, we doing that," you think there's something going on there?

COOGLER: I think it was a combination of a lot of things. I think it's the company Disney being at a point of confidence, trying to take risks. I think it's Marvel Studios. But I do think it's the cultural space as well, with internet and social media, these forms of communication, seeing the impact that people of color have on the market. Look at the *Fast and Furious* franchise, right?

COATES: Right, right.

COOGLER: You look at it and you see how profitable it is when you have a

film that has such broad incl[u]
and seeing how that film seri[e]
travels. You look at *Straight*
Compton, you see how fina[ncially]
successful that was. The busi[ness]
there, and I think it makes com[panies]
realize, "Oh yeah, we might be [able to]
do this." You won't find a co[mpany]
that's more confident right no[w]
a company that's smarter righ[t now]
than Disney.

COATES: So how do you fee[l]
after the premiere the other ni[ght]
the weight still on your shoulde[rs]
you feeling like you did some[thing]
Are you happy yet? How you fe[el]

COOGLER: At premieres, you [have a]
room full of people who want t[he movie]
to work, you know what I'm s[aying]
Everybody here wants the [movie to]
work. They want to watch a [good]
movie. They want to see som[ething]
that is going to make them pr[oud]
makes you incredibly nervous
and you don't know if the res[ponse]
is real or not. But I'll tell you no[w]
that night, the Panther premie[re]
experience... Man, that's one I'[m going]
to remember for the rest of my [life]
still trying to process it now.

COATES: You know what a[mazed]
me, man? How intellectually or[iented]
your whole cast was. You know
I'm saying? This was not just [a movie]
for them. They were very, ver[y]
and aware of what it meant po[litically]
for this movie to be out there.
an impressive achievement,
and they are an impressive bu[nch]
appreciate it a lot that my famil[y]
can share in it. It was incredibl[e]
Truly incredible.

COOGLER: Aw, man, right on, ri[ght on]
Right on, Ta-Nehisi, I appreciate

Our thanks to Ta-Nehisi an[d Ryan]
for making the time!

#166 VARIANT BY **RYAN SOOK**

BLACK PANTHER

HOW TO DRAW BLACK PANTHER
IN SIX EASY STEPS!

BY CHIP "FAT CAT WHAT HATES MONDAYS" ZDARSKY

Wow! A "sketch variant cover"! You must be very excited! To prepare you to draw your very own SOMETIMES KING OF WAKANDA, here's a fun and informative step-by-step guide!

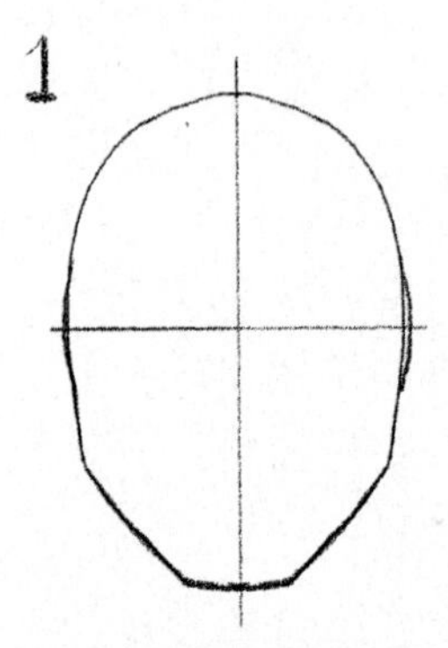

Black Panther has a strong jaw, so his head outline should be like an oval with some sharper edges defining the bottom half!

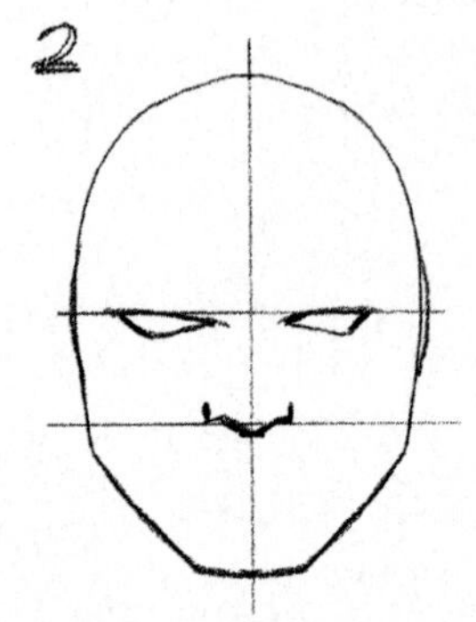

Don't be afraid to use lines to figure out the positions of his eyes and nose! Eyes are usually halfway down the face and noses a quarter of the way up the face!

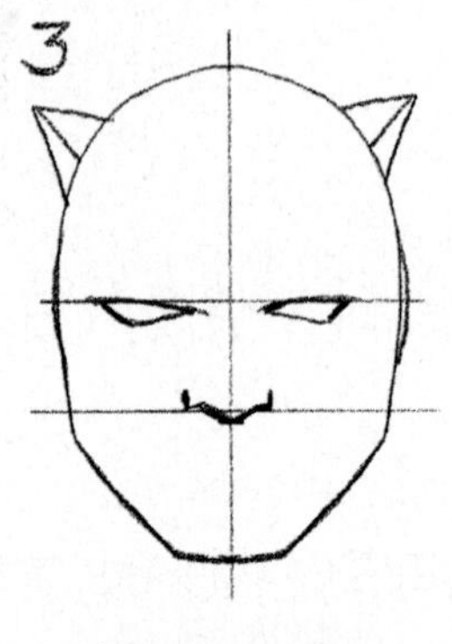

As a billionaire super hero, pointy ears are a must. Have them protrude at a slight angle to retain their catlike quality!

Since his mask is mostly featureless, be sure to lightly highlight contours of his face!

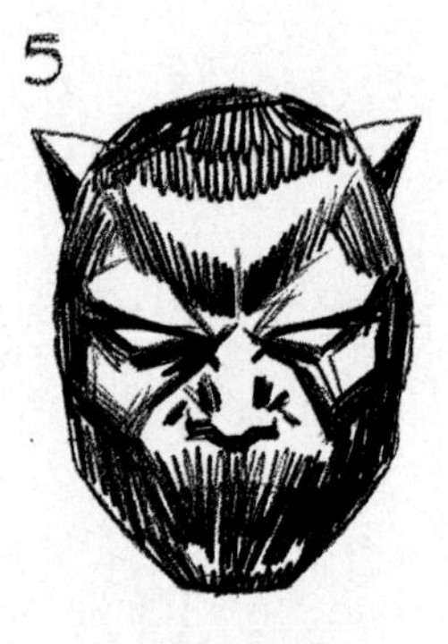

Add more detail, deepening the shape of his head through the mask!

Fill it all in black!

#166 HOW TO DRAW VARIANT BY **CHIP ZDARSKY**

#166-167 COMBINED VARIANTS BY **JENNY FRISON**

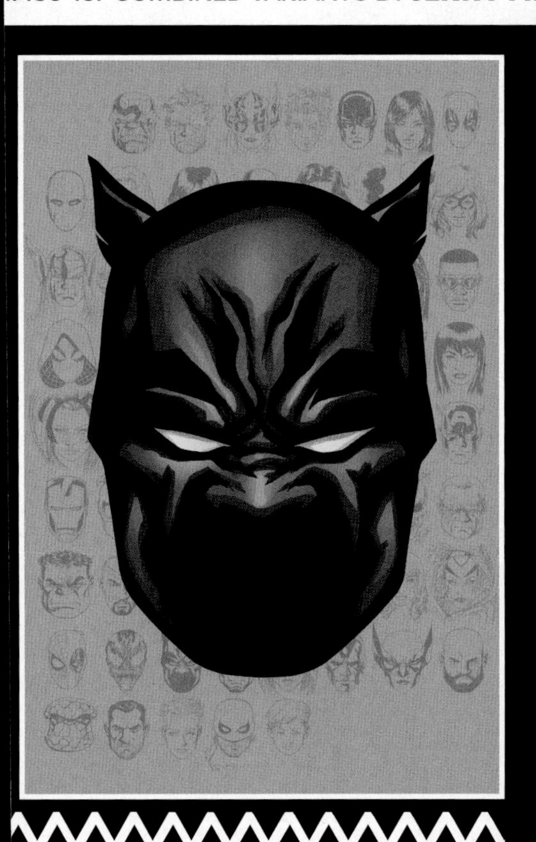

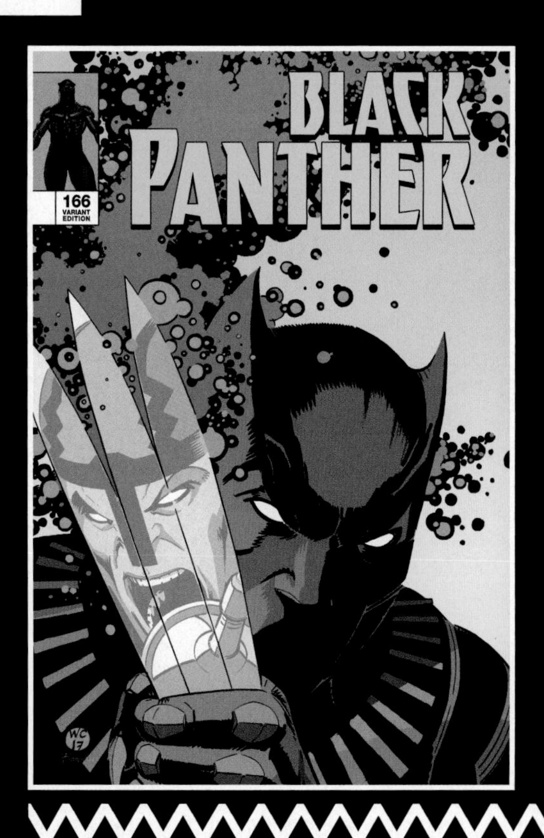

#166 LEGACY HEADSHOT VARIANT BY
KE McKONE & **RACHELLE ROSENBERG**

#166 HOMAGE VARIANT
BY **WES CRAIG** & **TAMRA BONVILLAIN**

#168 PHOENIX VARIANT BY **KEN LASHLEY** & **MATT MILLA**

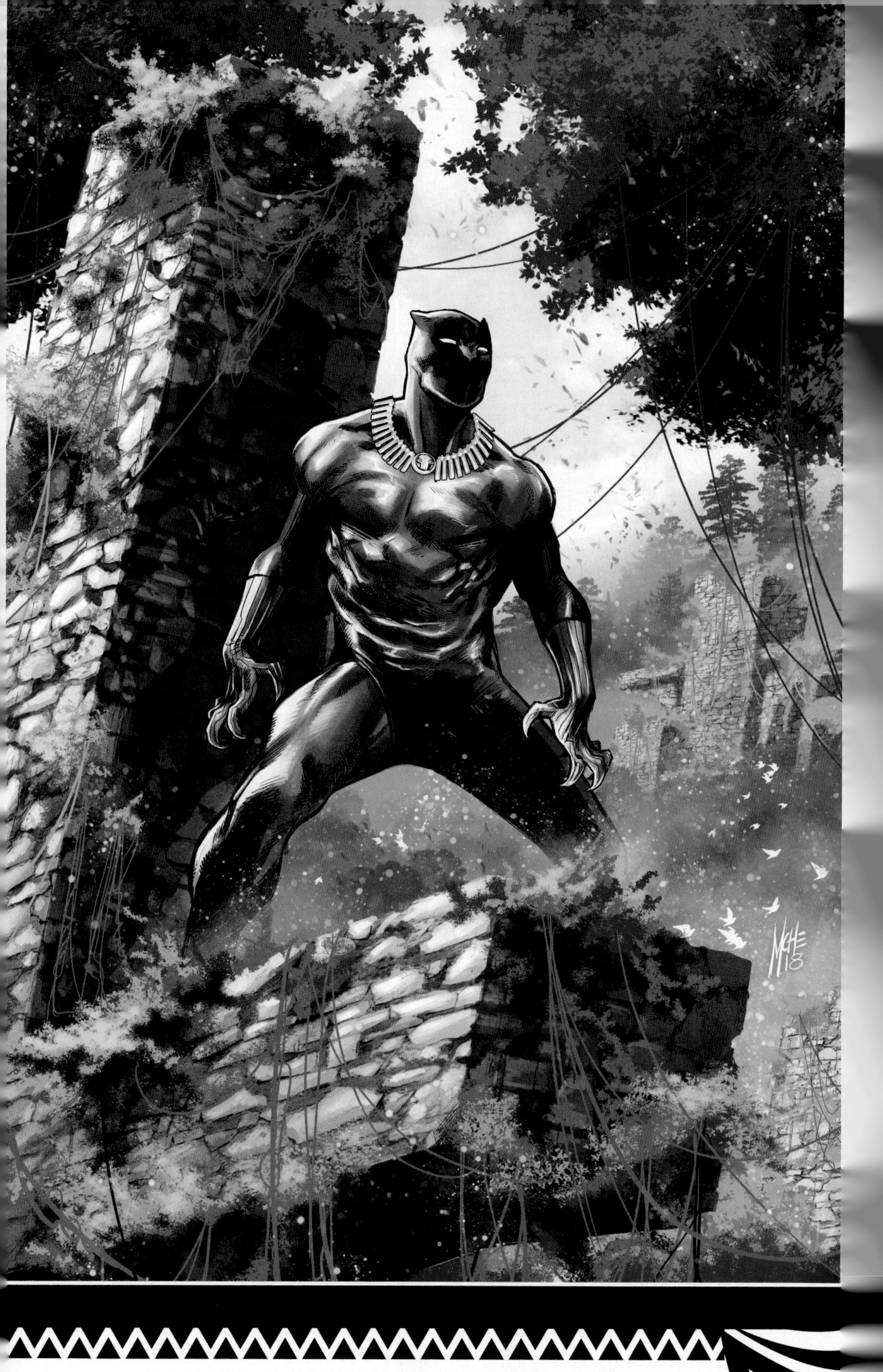

#170 YOUNG GUNS VARIANT BY **MARCO CHECCHETTO**

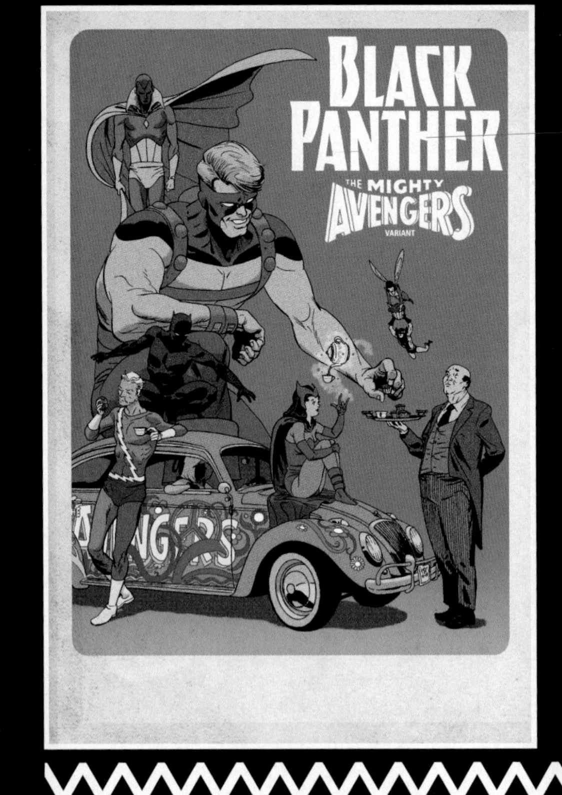

#169 AVENGERS VARIANT
BY **MARCOS MARTIN**

#170 MOVIE VARIANT

#172 VENOM VARIANT BY
PASQUAL FERRY & **CHRIS SOTOMAYO**